未知よりの薔薇

竹本忠雄

第六巻　秘声篇

勉誠出版

未知よりの薔薇　第六巻 秘声篇

目　次

第一章　一九九一年……1

キャンパス殺人事件……3
五十嵐助教授の四行詩……9
「ノストラダムス学」事始め……19
摩天楼崩壊のヴィジョン……39
「秘密予兆を受けし者」……67
コンタクト……78
フランスの驚愕と反省……85

第二章　ヴァレンヌの道……97
オルヴァル僧院の廃墟……99
謎の踏み石に立つと……105
騎士道炎上……116
ヴァレンヌ――王の石碑まえの秘声……127
第三章　地下洞窟の人々……141
魔女と荒ぶる神……143
王殺しのヨーロッパ文化……157
東西の「天声人語」……173

カバーデザイン――橋場信夫
カバー写真――ダニエル・セール
表紙デザイン――大岡亜紀
画像データ管理――山﨑誠一

第一章　一九九一年

キャンパス殺人事件

その男は、エレベーター前の大きな血溜まりの中に、仰向けに倒れていた。虚空に向かって両の拳を突き出し、見えない敵とまだ格闘を続けているかのように。

こんなに彼の髪の毛は真っ白だったろうか。もともと老成していて、若白髪ではあったが。恐怖は一夜にして、いや時には瞬時にして髪の毛を漂白することがあるというけれども。

それほどまでに、体中から最後の血の一滴まで流れ出したかのように顔面まですっかり色素を失って、変容してみえた。

それが、認定を求められて一瞬、私がためらった理由だった。むっと鼻をつく血溜りに浸った頭部を間近に凝視し、後ろを振り返って、佇立する二人の警官に答えて云った。

「五十嵐一《ひとし》助教授です、間違いありません」

昇る朝日がエレベーター脇の窓から射しこみ、ピケラインが張られた後方、長い廊下から駆け入る人影が乱れた。

一九九一年七月十一日、「筑波大学構内五十嵐助教授殺人事件」はこうして始まった。

その日の早朝、おんぼろ官舎、「トーチカ」に響いた一本の電話で私は叩き起こされた。英文学のある教授からだった。

「現現の学系棟七階に、誰か殺されて倒れています。学系長が来るまで警察が人を入れないようにしていますので、至急、検分を願います」

「現現」とは、現代語・現代文化学系の略称で、私はその学系長の任にあった。その時期にこの事件とは、どう考えても偶々ではないという因縁が、あれから二十六年、薄紙を剝ぐようにだんだんと見えてきた。世間には顕れない一筋の糸が。

世に知られた事実とは、こうだ。

ムハンマドを茶化した英人サルマン・ラシュディの小説『悪魔の詩《うた》』の関係者に対して、二年前、イランの最高指導者ホメイニ師から「反イスラム的」との理由から殺人指令が発せられた。ために、刺客によって、同書の訳者、五十嵐一は「処刑」された――というものである。原著者ラシュディその人は、英国政府によって厳重に匿われて二〇一七年の現在なお七十歳でぴんぴんしているのにひきかえ、翻訳者にすぎない五十嵐君は、ラシュディと同年の生まれにもかかわらず、あたら四十四歳の若さで不条理きわまる惨死をとげた。

五十嵐君と親しみをこめていうわけは、私とはそれだけの縁があったからである。学系長として同君の採用人事を進めたことに始まって、葬儀委員長として骨を拾った。その後、遺族救済のため、学内で拠金活動に携わったり、大学当局にかけあって例外的に殉職扱いにしてもらったり、非力は尽くした。わが学系六十名の教官たちの一糸乱れぬ献身的協力あったればこそだが、同君の死に対する私の愛惜の念はそれほどまでに深かったのである。イスラム神秘思想を中心に、万学に通じた天才肌の論客で、おまけにミュージシャンとしての公演活動など、その多才ぶりにはほとほと敬服させられていた。それだけに敵も多かった。執拗な。村松剛教授はその筆頭格だった。当時、同氏は、比較文化学類長として勢力を振るっていたから、事は厄介だった。

　前記のごとく、筑波研究学園都市の並木町の拙宅と、村松邸は、庭つづきである。その縁先では、うちのノラ猫ノラ子とその仲間が、村松家の若奥さんに撫でられて、のうのうと寝そべっている。ところが、五十嵐人事が一石を投じた。ある日、押っ取り刀ならぬ押っ取りカバンで村松教授は拙宅に駆けこんできた。五十嵐を採用するらしいが、とんでもない、狂犬を入れるようなものだ。彼が来るなら僕は大学を辞めたいくらいだとまで云われた。何かよほどの遺恨があると見たが、あえて問わなかった。

　そんな反撥は採用後も続いた。二百人の教官を擁する比較文化学類――先にも述べたが筑波大学では「学系」が教師の置屋で「学類」は学生相手のお座敷である――の月例会議に、いつまでたっても新任助教授に席はあたえられなかった。たまりかねて私は抗議し、しぶしぶ五十嵐助教授の会議出席は認められたが、次期学長の候補の一人にも擬せられた実力者の村松学類長としてはよほど肚に据えかねたのであろう、五十嵐事件が起こるや、即日、またもや血相変えて拙宅の玄関先に飛びこんできた。だから云ったじゃないのと息巻いた。こういうことになるから僕はあんなに反対したんだよ、と。

なるほど、先見の明、だったのだろうか。

こっちにとっては、しかし、問題はそれどころではなかった。

あの血溜まりの屍体検分の瞬間から、キャンパス生活はひっくりかえってしまった。まず、私の口から被害者の家族に悲報を伝えねばならなかった。大井町の五十嵐家では雅子夫人が電話に出た。さすがに、殺されましたとは云えなかった。ご主人が急死されまして……というに留めた。夫人はそれには応ぜず、動揺した様子もなく、大声で家人にこう叫ぶのが聞こえてきた——「お父さんが死んじゃったんだってよぉ」

真相は、会って伝えた。

故人と東大大学院で学生結婚したという五十嵐雅子は、涙一つ見せず、気丈に振舞った。しかし、さすがに、屍体検分ではそうはいかなかった。筑波大学病院の解剖室に私は同行した。と、一瞥するなり、硬直して彼女は昏倒した。私は人があのように倒れるのを見たことがない。まるで大理石像が倒れるように、もろにぶっ倒れ、金属質の響きを立てた。

屍体の首は縫合されていた、と思う。私が現場で見たときも完全に切断されてはいなかった。この点、世に伝わったこととはちょっと違う。「イスラムの大義」からすれば切断するのがルールのはずだ。後ろ傷のなかったことからして五十嵐君は勇敢に立ち向かったようなので――血溜りの中にカバンの中味が散乱していた――、敵は怯んで仕損じたのではなかろうか。

週刊誌の中には、首はメッカの方角に向けられていたとさもさもらしく書いたものもあったが、これも真っ赤な嘘だ。私は最初の現場検分者だったから誓っていえるが、前述のごとく、死者は仰向けに、両の拳を突き上げて倒れていたのである。


三日後、遺骸の帰還に同行した。午後に筑波を出て、車が大井町の五十嵐家に着いたときには夜になっていた。その間ずっと、私は、目の前の棺と一緒に揺れていた。隣席の雅子夫人から、生前、彼がどんなにか私に感謝していたかと聞かされた。そういえば、あのアグレッシブな性格の持ち主が、学内で私と擦れ違うときなど、いつも歩みを止めて深々と礼をされたなと思い出された。

ホメイニからの殺人指令が出たことを、学系会議で取りあげたことがあった。議長席の私から向かって右側中程の窓際に五十嵐助教授は坐っていた。危険なことになるかもしれませんねというと、彼は、学系にご迷惑がかかるといけませんから、それではどこかに身を隠していましょうかとおどけてみせて、みんなを笑わせた。実際は冗談どころではなかったのに。なんてわれわれはみんな平和ぼけだったのかと、目の前の棺を視つめて私は脣を噛んだ。

もっとも、イスラム過激派テロの恐ろしさを、まだ誰も知らない時期ではあったが。

五十嵐一は、実にその最初の犠牲者となったのだった。

ところで、凶行の予感は、五十嵐君にも私にもあった。

いや、それを共有さえしていた——暗在系的に。

彼は、自らの死を、のちに有名となる四行詩に書き残していたのだ。そしてそれは私とのかかわりがなければ生み落とされないはずのものであった。

私の場合は、ヴィジョンと予知夢とで知らされていた。わけても、夢のほうは、間違いなく惨劇を告げたものだった。なのに、その意味を悟れなかったことで、いまなお痛む心でこの章を書こうとしている。旧約の、あの夢ときの天才、ダニエルの叡智のひとかけらでもあったなら、友の死は防げたのかもしれないのに——。

五十嵐助教授の四行詩

五十嵐事件が起こるや、捜査当局が色めき立ったことがあった。犠牲者の研究室から、《階段の裏で殺されるであろう》との記述メモが見つかったというのだ。さては彼は、殺人者から何らかの予告を受けていたのではないか……

予感は、たしかにあった。

だが、それは、警察とは別の次元においてだった。

五十嵐一の書き残した四行詩のことは、当該事件——「『悪魔の詩』訳者殺人事件」の名で広がった——に関するネット情報で、いまなお未解決ミステリーとして語りつがれている。

ネットが記載しているのは、一篇の四行詩が日仏両文で書かれていたこと、そして《階段の裏で》と《壇ノ浦で》が韻を踏んでいるといったことだけである。その他の言句は伝えられていない。

前述のごとく、この詩の由来には私がかかわっていた。

それは、筑波大学で開催されたある突拍子もないテーマでの講演会席上のことだった。一九九一年四月十日のその日、国際会議場において、「精神世界の使者――ノストラダムスの秘密と使命」と題して、全米ノストラダムス協会会長、ヴライク・イオネスク博士による来日記念講演会が催された。キャンパス内外から参集した二百人ほどの聴衆の中に五十嵐助教授も混じっていたのである。

その前々月に私は、イオネスクの歴史的大著、『ノストラダムス・メッセージ』の拙訳第一巻を出版したところだった。著者への畏敬がつのって、その機会に自らニューヨークにまで赴いて日本への招待を伝えた。そして日本に迎えるや、一緒にフジテレビに出て、ついで筑波大での講演となった次第だった。

これらのイベントに一つの隠し球を仕掛けておいた。

「一九九一年六月」に「ソ連崩壊」が起こる――との予告である。

その期日は、講演当日からすぐ二ヶ月後に迫っていた。テレビを見た人も、講演を聞いた人も、まさかという思いであったろう。ソ連帝国は牢固として健在であり、誰も崩壊など予想していなかったからである。

それに、そもそもノストラダムスといえば、巷に氾濫する娯楽本、『大予言』ブームに食傷して、もはや誰もまともに取り上げる人はいなかった。少なくとも、常識人、インテリの間では。

いわんや、国立大学においておや――。

講師イオネスク自身、冒頭で、「アカデミズムの世界で講演させていただくのは初めて」と謝辞を述べたほどである。

ノストラダムス予言集『サンテュリー』*は、超難解にコード化されてはいるが、「科学的解読法」なるものがあり、自分はそれに立脚するものでありますとの講師の説明に国際会議場の聴衆は聴き入ったが、予告をそのまま信ずるところからは遠かった。

＊「サンテュリー」は「百篇群詩集」の意。フランス等で「センチュリーズ」として広がったことから私も最初は『諸世紀』と訳したが、のち、「サンテュリー」に改めた。

ところで、その会場で五十嵐助教授は、演壇で通訳する私から見て左手奥、入口近くの席に陣取っていた。講演終了後、夕食会にも誘って、イオネスクに引き合わせた。そのさい、「講演を聴きながら僕もちょっと作ってみました」と云って手渡された紙切れに書かれてあったのが、くだんの四行詩だったのである。

その紙切れを無くしてしまったことを、いま、私は悔やんでいる。『悪魔の詩』訳者殺人事件」は、スピリテュアルな次元からみれば、それだけが単独で起こったわけではなく、ある全体との関連から起こったミステリーといえる性質のものだった。その謎を幾らかでも解きたいとの思いで、二十六年後にこうしてペンを走らせている。だが、そのためには、どうしてももういっぺん問題の四行詩を読み返さなくてはならない。筑波中央警察署に電話して資料提供を願い出たが、あっさり断られた。そこで、署長あてに手紙を書いた。手前儀、当該事件では貴警察署には少なからずご協力申しあげた立場でして……などと勿体をつけた。皆さんにレクチャー致しまして、と。

「レクチャー」とは、こうだった。

現実主義の警察が、ワラをもつかむ思いで《階段の裏で殺される》の一句に注目したのは無理からぬことだった。学系長室に私を訪ねてきた刑事に、五十嵐先生はノストラダムスの影響でそれを書いたのですというと、相手は目をぱちくりした。どんなことか一つご伝授願いたいというので、「現現学系」の会議室にお集まり願った。筑波中央警察署の署員をはじめ、ぜんぶで捜査員十人ほどが参集した。こうして前代未聞の、「ノストラダムス学」序説を、現役警官たち相手に大学内で講義する成りゆきとはなった次第だった……

そこでもお巡りさんたちを相手に云ったことだったが、そもそも『サンテュリー』というノストラダムス予言集は、「キャトラン」と呼ばれる四行詩形式で書かれたものである。各四行詩は、上の句と下の句の二行ずつに分かれて、ほぼ対句をなし、脚韻を踏んでいる。警察が五十嵐助教授の研究室で発見したという四行詩は、フランス語訳まで添えてあったようで、明らかに、私が見た最初のメモを元に推敲したものであろう。

ところで、生きていたならば五十嵐一は、翌年、「予言の構造」という題の講義を行う予定だったと後で夫人から聞かされた。

いまだから云えるが、実は彼は「コンタクト」されていたのではあるまいか。私自身も、たぶんそうだったが――。

イオネスクに指摘されて分かったことだが、驚くべきことに、『サンテュリー』に、彼の死とその正確な年月日までがぴたりと告げられていたのである。

しかもそこには、「ソ連崩壊」と「『悪魔の詩』訳者殺人事件」は、ちょうど一ヶ月置いて続けて起こるという関係までが示唆されていた。

ずっとそのことは、今日まで私の胸奥にひっかかってきた。

その謎をとく時が来た。

＊

現場捜査陣の熱意にもかかわらず、「『悪魔の詩』殺人事件」は、早々にして犯人追及の打ち切りという政治決着をつけられた。さらに十五年後、時効として闇に葬られ、今日に至った――と思ってきた。ところが、後述するごとく、それは「迷宮《おみや》入り」ではなかったのである。

事件後、私は、学長から呼び出され、大学として解決に全力を尽くすからと云われて勇んで学系長室に戻ったが、そのすぐあとに電話が掛かってきてこう引導を渡された。本件は大学とは無関係である、よって学系として対処するように、と。どこかから横槍が入ったなと直観した。そのときの無念は忘れることができない。

しかし、学長は、只者ではなかった。再度、私に呼び出しをかけてきた。何かと思って伺候すると、君、お祓いをしてもらったほうがいいよと云い出したのである。しかも、筑波山神社に頼んで、と――。

これにはびっくりした。時の学長は医学部の阿南功一教授だった。れっきたる科学者とばかり思っていたところ、思いがけないことを云われて一瞬、度肝を抜かれたものの、次の瞬間にはすっかり嬉しくなってしまった。ほほう、そういうことあり？　現金なもので、はじめて畏敬の念をこめて、浅黒い、引き締まった顔に向かって、ははっと頭を下げると、こう続けて聞かされた。

「実はね、うちの医学専門学群の建物の屋上から、二人続けて飛び降り自殺があってね、それでお祓いをしてもらったんです……」

なるほど、ここが筑波大のいいところだと、変なところで感激して、勇躍、筑波山神社の青木宮司に鎮魂祭を執り行うよう願い出た次第だった。

それは、七月半ば、とりわけ酷熱の真昼時だった。

いや、暑いなどと云ってはいられない。（死者を考えよ！） あの流血のエレベーター前の廊下に、学系長の私を先頭に多くの教官が滝のごとく汗を流して正装して居流れていた。その前で青木宮司は、誰も予想しなかったような驚嘆すべき内容の大祓のノリトを奏上したのである。ついで、令息を従え、エレベーター脇の階段を、現場の七階から地階まで降り、さらに地上の駐車場へと出て、犯人逃走の経路を綿密にたどりつつ、渾身の力を振り絞って、お祓いして回られたのであった。

《階段の裏で殺されるだろう……》と、故人の遺した謎めいた詩句に告げられた跡を――。

「五十嵐先生は、後ろ傷はなかったんですね」

感に堪えたように、こう宮司は私に洩らしたが、さすが、見どころが違っていた。たしかに、鞄がずたずたに切り裂かれるほど、それを盾に五十嵐君は真っ正面から凶刃に対して立ち向かったのであろう。

いかにも、これ以上の故人への讃辞はあるまい。このような深き畏敬の念をもって魂鎮めをしてくださる方なればこそ、前述のごとくニューヨークにまで夢告に顕れたのに違いない。

何よりも驚くべきは、宮司の上げたノリトであった。そこには超自然的なある秘密が隠されていた。それはノストラダムス予言と一致する何かだった。私の見た「摩天楼崩壊」のヴィジョンと、宮司の夢告した「大変なこと」とは、別々の事象ではなく、連続性のものだったことが後に明らかとなる。

それにしても、当局は逃げ腰だった。

ホメイニに忠誠を誓うイスラム革命防衛隊の実行犯二，三人が、犯行後、成田から北京を経てベイルートへ逃げたということは、これを特定したCIAから公安当局は通告されていたようである。ほかに、入り組んだ構造のキャンパス内の現場にまで手引きした者が学内にいたということも分かっていた。犯行幇助の目的であらかじめ筑波大学に短期入学していたバングラデシュ人である。犯行当日の昼、その男はただちにダッカに向けて逃走したということも、姓名も含めてちゃんと把握されていた。しかし、パリの国際警察機構に二度ほど調査員が出向いたという噂を耳にしたのを最後に、ぷっつり捜査は打ち切られたようだった。

イスラム陣営との関係悪化を恐れてのことではあるまいか。しかし、そうとすれば、これほどのイロニーはあるまい。その年——何度でも繰りかえすが一九九一年——には、事件に先立って五十嵐君は、その名もいみじき『中東ハンパが日本を滅ぼす』という本を出版していたくらいなのだから。「アブフは要るがアラブは要らない」では駄目だと、高度の専門的知識に立って警告を発していたのである。

同年一月、湾岸戦争にさいして、イラク軍侵略に対する多国籍軍支援のため、日本政府は多額（全体の二割）の資金援助をしていた。私ども国家公務員は給料から一律五千円天引されて——。にもかかわらず、周知のごとく、主戦場となったクウェート国からは感謝の一片も示されなかった。そのときの屈辱が思い出される。拉致されようと、殺されようと、平和維持のため参戦を求められようと、腕組みをしたままカネさえ出せば済むという時代から遠いところへ世界は進みつつあったが、そうした趨勢から日本は遠く取り残されてしまっていたのだ。

「イガラシ」殺人事件のイロニーを嘆く声は、イランの識者の間からも洩れ伝わってきていた。イスラム世界は、その深層からの真の理解者の一人を失ってしまったというのである。東大の井筒俊彦教授の愛弟子であった五十嵐一が、イラン王立哲学アカデミー研究員として留学し、イスラム神秘思想の世界的権威、アンリ・コルバンの謦咳にも接した身であることを考えれば、こうした歎きほど正当なものはないと私は痛感させられた。加えて五十嵐君は、われわれと一緒に「筑波越え」をやった仲間である。《コルドバ2》国際会議のオブザーバーとして目覚ましい発言をしてくれた。

しかも、イラン留学中に彼は、ホメイニによる革命の様相を現場で目撃し、それに同調的とさえ取られかねない著書を――『音楽の風土　革命は短調で訪れる』――公けにしていたのだから、何をか云わんやである。イロニー、まさにここに極まれりというほかはない。

海部首相の顧問をもつとめた五十嵐一は、あるとき、どうしたらアラブ諸国と巧くやっていけるでしょうかと諮問されて、こう答えている。

「皇太子殿下にお行きいただくことです」

その猛進型の熱血ぶりからラディカルと恐れられた思想的闘士は、実は、見えない世界に対して、ライバルが恐れたような狂犬どころか、きわめて恭謙であった。

そのことを私は、事件直後、警察官とともに初めて彼の研究室に入ったときに、身震いする思いで知った。博識をもって鳴るエリートの部屋に、本はほとんどなかった。置かれてあったのは、一台のオルガンと、大乗仏典一冊のみ。

そういえば、と思い出した。五十嵐君の尊父は新潟県長岡市の来迎寺《らいこうじ》の出自で、母堂は佐渡の神官の長女だった。

ちなみに、あまり世に知られていないことだが、ノストラダムス予言集は殉難者への挽歌といった面を秘めている。自分は「いついつまでも尊き神霊を齋き祀る人々の側」に立つと、旗幟鮮明にしている。予言者は未来を動かしてはならないし、動かすこともできない。しかし、ぎりぎりルールの限界内で思わず警告を発することが少なからず、そこが何ともいえない『サンテュリー』の人間的魅力ともなっている。五十嵐一の死は、四百三十年余の時をこえて、共感的にコンタクトされる理由があった。

「ノストラダムス学」事始め

まさか自分がそこまで抜き差しならず深入りするとは思わずに、私には、フランス留学中から心にかかってきたあるアイテムがあった。そのことを、帰国の年、一九七四年に、ちょうど『ノストラダムスの大予言』なる本が日本で出はじめて大騒ぎとなる様子を見て思い出した。

ただし、まったく違うなとの印象をもってである。

ノストラダムス予言集『サンテュリー』については、つとに私は、その原著の復刻版の編纂者、セルジュ・ユタン氏という秘教研究家から手ほどきを受けて、多大の好奇心をそそられていた。従って、ほほう、日本でもこんな本が出たのかと興味津々で一瞥したが、「解読」とは名ばかりで、只の当てずっぽうのフィクションにすぎないと知って、むしろ、拍子抜けがした。

もっとも、大衆は、真実よりも作り物に弱い。吉川英治の『宮本武蔵』とおんなじだ。あっというまにその本が超ベストセラーにのしあがっていくさまを目撃して、これではまともな紹介はもう無理だろうなと思った。

まともなとは、学問的ということである。その意味では、それまでにアカデミックな世界で問題を取りあげていたのは、東大の渡邊一夫教授ただ一人だった。『フランス・ルネサンス断章』（一九五〇年、岩波新書）の中に一章が割かれている。ただし、そこでは、ノストラダムスは、単なる「いんちき師」呼ばわりされているにすぎない。その予言も、要するに「迷信」なりと決めつけて、それで終わり。同時期の「人文主義者《ユマニスト》、ラブレーと違って」――というのである。

当時、米軍統治下の日本において、時流に棹さす進歩的文化人の一人、東大仏文科の渡邊一夫教授の発言ともなれば、絶対の権威を持っていた。後年、自ら「戦後民主主義の申し子」と名乗る大江健三郎が、ノーベル賞受賞講演で「私には二人の師匠がいます。フランソワ・ラブレーと、渡邊一夫教授と」と述べたことにより、リベラルの系譜がなお明かとなった。神々と王制を葬り、代わって《合理》の神を祀りあげたフランス革命思想の系譜である。日本では、「平和憲法」がその遠い申し子となった。

しかし、「ラブレーと違って」というが、ラブレーとノストラダムスは、前者が二十年早く生まれただけで、同じルネサンス後期の同時代人だったのである。ほとんど同時に、同じモンペリエ大学で医学博士となっている。ラブレー大先生も、当時流行の「占暦《アルマナ》」を書いたことではノストラダムスにひけをとらない。ただし、台頭しつつあるカルヴァンの新教と、ラブレーは同調し、ノストラダムスは敵対した。宗教戦争―ルネサンス―フランス革命と、三段跳びで近代を達成したヨーロッパの知の流れの、ラブレーは先取的自由人として崇められ、他方、それによって神聖との契りを引き裂いた革命の告発者ノストラダムスのほうは、真価を理解されることなく学界から葬られた。

「大予言」プロパガンダに対する日本のリアクションは、従って、渡邊一夫お墨付きのノストラダムス「いんちき」説に盲従するインテリ層と、核戦争と終末への恐怖に煽り立てられるがままに『大予言』を盲信する大衆層の間に両断され、真実究明を買って出るほどの勇気ある知識人もしくは偏屈者は、ついに一人も出ずじまいだった。

もっとも、それは、日本だけの現象ではなかった。フランスも同様で、本家だけに日本より始末が悪かった。

ジャン＝シャルル・ド・フォンブリュヌの『歴史家・予言者ノストラダムス』がパリで出版されるや、同じく大ベストセラーとなったのは、日本より六年遅れて、一九八〇年のことだった。只の一つも「解読」が当たらなかった点でも、日本と好一対だったが。

その後、同類の本がまたたくまに世界中に増殖していった。自称解読家たちは、火の手を煽る絶好の火種を抱えこんでいた。予言集の「第10章72歌」に呈された有名な

《紀元一千九百九十九年七月《なな》に
　天から一人の恐怖の大王が到来するであろう》

との一句である。

これぞ、人類滅亡のお告げなりというわけだ。

核戦争か、天体の衝突か、はたまた宇宙人の飛来かと、流言蜚語なみの「解読」が乱

れ飛び、そのたびに人心は動揺し、売れゆきは伸びた。

「一九九九年七月」の「その時」は、刻一刻と迫ってくる。

不吉なカウント・ダウンが始まった。

確かなことが一つあった。その間、ノストラダムス産業は国際的に空前の活況を呈したということである。


多くの人は覚えていよう。二十世紀末が近づくにつれ、大衆が一つの集団ヒステリーに囚われたかのごとき、あの時代を。終末論フィーバー、とでもいうような——。

そこには無理からぬ深層心理のはたらきもあった。

人間の記憶の奥底にはおそらく、地球の歳差運動の節目ごとに人界に大異変が起こるという古代からの云い伝えが生きつづけている。日本では、「辛酉《かのととり》」の年を忌み、何度も元号を改元したごとき——。これに西洋の黙示録的終末論が結びつき、さらに古い世紀末病が輪をかけた。そして何よりも、現下、いつ起こらないともかぎらない米ソ核戦争の危機が恐怖を限りなく増大させた。

抜かりのない商業主義がこれを放っておくはずがない。「一九九九年」を地球最後の日と説く本が世界中で飛ぶように売れ、メディアと映画化がそれに拍車をかけた。かつて火星人来襲のドラマでイギリスに大パニックが起きたことがあったが、その再来ともいわれる大恐慌に、こんどは地球的規模で人々が陥ったのである。

こうした一大フレネジー（狂燥）を、最初のうちこそ、帰国した私は、ただ呆然と見守るばかりだった。

何よりも驚かされたのは、ルネサンスの巨人ノストラダムスが全知全能を傾けて暗号化した『サンテュリー』の四行詩群に、無防備に山勘ひとつで取り組んで解読したと称する手合いが、引きも切らないことであった。原文は多国語混合の韻文体で書かれ、それそのものの読解もままならないのに、英訳に頼って済ませている猛者もあったほどで——。

同書の難解さは、フランスの玄人すじでも歯が立たず、ものの三十分もたたないうちに投げ出してしまうという曰くつきのしろもので、もちろん私とて例外ではなかった。それでも諦めずに好奇心を抱きつづけてきたのは、ひとえにパリで前記セルジュ・ユタン氏の手ほどきを受けたからにほかならない。

この秘伝研究家を知ったのは、在パリ日本人画家、木村忠太氏のおかげだった。木村画伯を知ったのは、わが師ジャン・グルニエ教授のおかげである。グルニエ邸で、ある日、木村夫妻を引き合わされ、つぎに木村邸でセルジュ・ユタンに引き合わされた。グルニエ、木村、ユタンと、三軒の家が、パリ郊外のブール・ラ・レーヌに並んでいた――かなりの間隔を置いてではあったが――ことは、私にとっては僥倖のかぎりで、それがなければノストラダムスとの出遭いはなかった。

いまでは東京の国立近代美術館に常陳されているほどの大家、木村忠太も、当時はまだそれほどまでに有名ではなかった。四国の高松出身で、ボナールに惹かれてパリに渡った。同郷出身の心根やさしき夫人とともに、多年、言辞に尽くしがたい辛苦に耐えて画業を大成した。一見、いかにも強面《こわもて》で、いまにも絵筆ならぬ居合抜きの剣でも飛んできそうな気迫で、ぐっと睨むものだから、温厚な隣家のグルニエ夫人などは、わたし、あの人が怖いと陰で震えていたほどだった。だがそれは、至純の精神を飾らずに表に出していただけのことで、画家の心眼でもあろうか、愚生ごとき浮薄な性分は一発で見抜かれ、けっこう長いお付き合いの間に欠点をぐいぐい抉られて縮み上がったこと、一回や二回ではなかった。そんな炯眼をもって画家はこっちの数奇者《すきもの》ぶりを見てとったのか、あんたと気の合いそうな人がいると云って、ある日、親切にもお宅に昼食に一緒に呼んでくださったのが、セルジュ・ユタン文学博士だったのである。

著名なこのエゾテリストは、まだ中年の年格好なのに、赤ら顔に、頭だけ老化して禿げていた。善意の蛸入道という印象を持たされた。老成といった感じでは、のちに知る五十嵐一君にも一脈つうじる感じがあった。

ユタン先生、「アムール共和国」の住民らしからず、母親と二人暮らしと聞かされた。「クセジュ文庫」の著書、『錬金術』は、まだ出版以前だったと思う。秘密結社の研究家としても著名で、自身、薔薇十字会の会員だったらしい。わが「ロジエー！」の夢の話を聞くや、言下に「それは尊師《メートル》——誰のことやら——が送ってきたものです」と応じたし、その後、レニングラード街三十番地の拙宅に、綺麗な薔薇の紋様入りの会報が送られてくるようになったからである。

そのころには私は、ユタン註解の『サンテュリー』復刻版をパリの古本屋で見つけて読むようになっていた。同じくユタン編の復刻版、イオネスク以前では最高の、そしてイオネスクがその継承者となった十九世紀、ル・ペルティィエの名著、『ノストラダムスの神託』のほうは、まだ読んではいなかった。

日本から、詩人の高橋睦郎を皮切りに、三島由紀夫軍団ともいうべき人々が続々と私を訪ねてきたころだった。その中の一人、『イラストレーター廃業日記』執筆中の横尾忠則が、好奇心いっぱいで、大学ノートをかかえ、肩まで垂れたヒッピー・スタイルの長髪をゆさゆささせて、三ヶ月間、ほとんど毎日のように私のもとに通ってみえた。ユタンがノストラダムスについて講演するというので、誘って聴きに行ったことがある。同時通訳風に私が翻訳しては書きつけた紙片をどんどん隣席に回したので、「スーパーインポーズ付きで聞けるのでありがたい」と、夫子、ご満悦であった。

そんなことが、私の「ノストラダムス学」事始《ことはじ》めであった。しかし、分かるかといわれれば、さっぱりだった。

それだけに、ユタン註解本の序文に書かれたある一言には大いに引きつけられずにいなかった。「ノストラダムスというと一般に眉に唾つけてかかるフランス人も、ヴァレンヌと云われれば黙るほかはない」というのである。

はて、「ヴァレンヌ」とは何だろう。

ルイ十六世とマリー・アントワネットが革命軍の手を逃れてオーストリアへ亡命する途上、捕縛されてギロチンへの道をたどる起点となった宿命の地を、「ヴァレンヌ」と、はっきり固有名詞を挙げて告げている四行詩があると知り、興味を持たされた。そこに出てくる人物も場所も、たしかに、歴史的な固有名詞が掌をさすごとく正確に指摘されていると思った。

これが、私の「ノストラダムス現象」[*]なるものへの開眼であった。

＊「ノストラダムス現象」というと、日本では通常、『大予言』の類書の社会的大流行のことを漠然と

意味するようだが、ヴライク・イオネスクにおいては超人的幻視能力に伴う諸現象を示し、拙文もそれに準ずる。

音の響きからしても、「ヴァレンヌ」の一語は、いかにもミステリアスに響いた。第一級の重要な固有名詞の場合にそうするように、《VARENNES》とぜんぶ大文字で書かれている。

知られざる薔薇の棘のように、この語は私の胸に刺さった。そのときには、まさか想像もできないことだった。その刺さった跡が、三十年間あまり、うずきつづけ、ある日、大学退職を待ちかねてその地に出かけることになろうとは……

セルジュ・ユタン師は、従って、有難い最初の導師だった。

しかし、そう云っては失礼ながら、その段階に留まっていては、ノストラダムス予言の謎は解けなかった。

そもそも、解読々々というが、正確には、「解釈」―「解読」―「解決」の三段階から成り立っている。「解読」と呼ぶに値するのは容易なことではなく、大多数はせいぜい「解釈」止まりだ。それもしばしば甚だ得手勝手な――。「解釈」は何通りもあるが、「解読」は一つしかない。つまり、真実は。そしてそれが歴史的事実によって実証されたとき、初めて問題「解決」となる。

『サンテュリー』を構成する全九百四十二篇の四行詩の中で、最重要の詩篇に対して、この意味で真の「解決」をもたらした専門家は、厳密に云って、史上、二人しかいない。それが、十九世紀のル・ペルティエと、二十世紀のヴライク・イオネスクなのであった。

このうち、解読率八〇パーセントをこえる超人的成果を収めたのがイオネスクで、『サンテュリー』出版後四百二十年間に現れた数知れない世界中の「解読家」中、まったく他の追随を許さない巨匠として名声を博するに至った。

知らずして私は、従って、ユタンの手ほどきでノストラダムス学に入門し、ル・ペルティエからイオネスクへと、史上最強の師匠のテキストによって最も正統的な真髄へと突き進む幸運に浴したといえようか。なぜそのように導かれたのか不思議だが、その結果はといえば、まことに甚大であった。

＊

きっかけは、日航機の機内で起こった。

あれは自分の流浪時代のことだった。パリを再訪した折に、ある友から一冊の分厚い本を手渡された。「君はノストラダムスにご執心のようだが、これが最高だよ」と云いながら。それが、ヴライク・イオネスク著『ノストラダムス・メッセージ』だったのである。

その友とは、ジャン＝マルク・タピエ君といって、本手記「第二巻　出遊篇」の五月革命のところでちょっとばかり登場した。「アンフォルメル・アート」で戦後美術に旋風をもたらした批評家、ミシェル・タピエ氏の長男で、秘教専門書肆、アルマ・アルティス社の社主である。日本で前衛美術の批評家というと、おおむね「リベラル」だが、ミシェル・タピエ氏は、深く日本の伝統を重んじ、つねづね、「日本という国は神道が分からなければ何も分からない」と口にしていた。「パリ憂国忌」にも駆けつけてくれた。それもそのはず、同氏は、中世十字軍以来の名門、ロートレック家の血を引き、トゥールーズ・ロートレックとは従兄弟の関係だった。フランスは共和国ながら、最古のメロヴィング王家の血がどこかに沈潜して流れている。聖アウグスティヌスが告げた伝説の「グラン・モナルク」（大君侯）再来の夢を綴ったのが、ある意味でノストラダムス予言にほかならない。歴史的名家の末裔であるジャン＝マルク・タピエ君から、これが斯界最高の書と折り紙付きで贈られたのがイオネスクの大著であったことは、左翼陣営からは嫌われようが、何か必然の流れのごときものであった。

イオネスクの『ノストラダムス・メッセージ』は、一九七六年にパリのデルヴィ・リーヴル社から出版された。日本で例の『大予言』ブームが起こったのとたまたま同時期である。その三年後に私は初めてその大著を読んだのであるが、ちょっとした電話帳ほどの嵩《かさ》のあるこの本を、帰国便の機内で、抱えこむようにして読みはじめるや、目が離れなくなってしまった。といっても、秘伝世界の蘊蓄をかたむけた内容は、いかに自分が門外漢かと思い知らされるだけだったが、それなのにぐいぐいと引きこまれていく。なぜか、これこそ真実なのだと、一語々々が肺腑に浸みわたる。著者の博識に驚嘆させられるとともに、通常の学問だけではここまで強く神秘を肯定的に語りえないだろうと思った。著者イオネスク博士が若き日に見えない存在から不可思議な心霊特訓を授かったという述懐を読んで、さもありなんと納得した。

眠りから覚めたように、心地よいジェットエンジンの音が耳元に響いていた。

未知世界を凝縮した奇書を、邯鄲の夢の枕のように有難く押し頂いてから、視線を丸窓に転じた。雲海を飛んでいる。刻々、大和島根に近づく搭乗機に、東方から旭日が最初の光箭を投げてよこした。ついに一睡もしなかった眼を細めてその光源を見やって、ふと、デジャ・ヴューのように思い返した。そうだ、流浪時代、ブエノスアイレスで全身真っ黒な亡霊に襲われてから、帰国の途上、やはり、大西洋から太平洋にかけての搭乗機内で、哲学者カイザーリング伯の『南アメリカの瞑想』を読み、謎ときへの手がかりを得たのだった、と。

あのあと、東京で文豪ボルヘスと出遭ったことから、さらに的確にその謎は解かれた。あのときも、端緒は、高空での啓示だった……

乗客は、まだ、ほとんど安らかに眠っている。夜どおし、ここだけぽつんと点灯したままのビームライトのもとに、ふたたび、読みさしの大著を開いた。もうじき読了だ。と、そこは、「第九部第三章」のちょうど始まりだった。

タイトル文字が、ぱっと目に入る。と、なんと、

《一九九一年、ソ連体制崩壊の年
——七十三年七ヶ月、ソ連体制存続期間》

と記されているではないか。

のちに本国のフランスで「ノストラダムスの名誉を日本が救った」とセンセーショナルに伝えられ、予言者への評価が劇的に変化するに至る、これが、われのみの知る出発点だった。

こうして、ただただ驚くばかりの秘義秘伝の世界をまえに己の無知を再認識させられ

ながらも、一睡もできないほど興奮して通読し、成田に降り立ったときには、充血した目に世界が一変してみえた。

*

ヴライク・イオネスク著『ノストラダムス・メッセージ』全八百余頁の大著は、思想篇と解読篇に分かれ、思想篇だけで優に全体の三分の一をも占める。解読篇では、予言集『サンテュリー』の全九四二篇の四行詩中、二四一篇もの解読が呈され、これは実に全体の三・九割をも占める。もちろん、歴史的過去となった事象については、先人の解読をも含むから、すべてがイオネスクによるものではないが、彼自身による解読はおびただしい数にのぼり、斯界随一の名に恥じぬものであった。

「近未来」をどう解いているかについて、当然、最大の好奇心をそそられた。ヴェトナム戦争の推移など、手にとるごとき的中を見せている。「ウォーターゲート事件」のように、半ばユーモラスな、センセーショナルなケースもあった。著者イオネスクは、ある四行詩がニクソン大統領の失脚を告げるものと解読し、大統領あてに警告の手紙を書き送ってさえいたのだった。

これに従っていたならば、失脚はなかった？　が、そうはならなかった。『サンテュリー』の初版出版の一五五七年から現代に至る四百数十年間は、実に、自らの運命を予告されたと知った歴史の主役たち——歴代フランス国王を初めとして——と、その運命自体との、この上なくスリリングな相剋の連続だったのだ。また、それをも見越して、予言者は、予見した出来事を、容易には露見しないように秘術をつくして隠秘化したのであった。

予言は変えられないというジンクスがある。が、それをも破ってイオネスクが行動したということは、黙って危機を見過ごせない正義感から来たものであろう。ルーマニアの独裁者、チャウシェスク大統領と、いかに彼が死闘のすえに、全家族を連れてブカレストから脱出し、亡命したか、その冒険譚を後に本人から詳しく聞くに及んで、人間的に尊敬の念を新たにした。

だが、疑問も生じた。解読はともかく、警告ということは、前述のジンクスに照らして、ルール違反、ないし、パラドックスということにならないであろうか……

予言をめぐる決定論か自由意思かの問題は、本質的に重要な哲学的命題として、以後、心に課された。のちに筑波大学でイオネスクの講演が行われたさいに、場内の女子学生の一人から、「あらかじめ運命が決まっていたら、人はどうして自由に生きることができるのですか」との質問が飛んだとき、きわめて当然かつ鋭い反応と感心させられた。これに対するイオネスク博士の答えはこうだった。「われわれはみな、神の演劇の俳優です。しかし、大根役者であっていいということにはなりません」。女子学生は納得しただろうか。私自身は納得しなかった。

皇后陛下美智子さまが、学生時代に、「腐った林檎ではなく」とのエッセイの中で、十九世紀的決定論に陥らないための自由意思を持つことが必要と、凛々しい生きかたを表明しておられることが思いだされる。

この問題は大きい。それを解く一つの鍵はノストラダムス自身が明言している「私は幻視者であって予言者ではない」という言葉、また、「見た以上、外れるということはない」との言葉にありそうだ。ここで詳説する余裕はないが、要は、人間が自由に生きることと、結果（未来）を見ることとは、両立する、矛盾しない、ということではなかろうか。

ノストラダムスは、見たままを告げているので、予言しているわけではない――ということである。結果として、人はそれを予言と呼ぶのだが。

「聖霊によってヴィジョンを見せられるのだ」とも、「白昼の光に劣らず眩しい光の中で」見るのだとも彼は云っている。そして実は、このことは、彼に先立ってジャンヌ・

ダルクが体験したことと、のちに「マリア顕現」の見者たちが体験することとも、全く共通しているのである。

問題をこのように綜合的に考えるべき時が来たと思う。事はおそらく「ヴィジョン」というものの本質にかかわっている。本手記の役割はおそらくそこにあり、次の「第七巻　影向篇」でその探索をさらに展開させていきたいと思う。

「ソ連崩壊」の時期として予告された「一九九一年六月」は、イオネスク本に私がそれを見いだした一九七九年の時点から見れば、十二年も先のことだった。同書がパリで出版された一九七六年から数えれば、十五年も後のことである。ましてや、ルーマニア人、ヴライク・イオネスクが、弱冠二十六歳で、ソ連体制下の祖国の首都ブカレストにおいて初めてその体制崩壊の予言詩を解読した一九四八年に遡って算えれば、四十三年も先の未来を見透したことになる。いわんや、『サンテュリー』出版の時点から数えれば、実に四百三十四年もの遠未来を透視するという離れ業であった。

イオネスク解読はさらに、「一九九一年」の「六月七日」という精密な月日までも割り出していた。予言者自らが駆使した「判定占星術」なるものに基づいて計算するすべを心得ていたからだが、「ここまでの精度は必要ない。一九九一年の五、六月といえば十分であろう」と註記している。しかし、のちに、実際にソ連崩壊――エリツィン大横領の選出――が起こったとき、それは同年「六月十二日」のことで、その差わずかに五日にすぎなかった。

しかし、日航機内で私がこうした予言とその解読を知ったのは、ソ連帝国がまだ全盛を誇っていた時期である。ブレジネフが書記長となって二年目、米ソ冷戦はたけなわであった。そのような時期に、世界を折半する一方の超大国の命日をこれだけぴたりと公表するとは、勇気というか無謀というか、少なくとも尋常とは受けとられなかったであろう。

イオネスク博士の、その勇気か無謀かを、私は引き継ぐことになるわけであるが。

フランスでは同書の反響はどうだったのか。

巷間ではそれは乏しかったようである。『ノストラダムス・メッセージ』は、高度の学術書として受けとられ――実際にそうである――、ごく限られた専門家の間でしか理解されなかったからだ。

イオネスクは同書を亡命先のニューヨークで執筆し、自ら活字を組んで製作するほどの打ちこみようだった。パリで頒布に持ちこんだものの、フランスの一般読者やメディアの注目を引くまでには至らなかった。一部秘伝研究家は絶讃を呈したが、大衆の前を素通りしてしまったのだ。

私自身はどうかといえば、一読、何の疑いをも抱かなかった。「ソ連崩壊」の予告と期日を読んだときも、何の抵抗もなくそれを受け容れた。

それほど、著者のパズル解きが堂に入っていたからにほかならないが、不思議といえば不思議であった。つまり、読んだその瞬間に、ソ連帝国は「一九九一年六月」に必ず崩壊すると、自ずと信じられたのである。

いつのまにか、この書を翻訳しようと決意していた。

フランスでも日本でも、世人は、例の《一九九九年七月に天から恐怖の大王が到来するであろう》の一句ばかり問題にしている。同じ「到来」でも、それより以前に、「一九九一年」に歴史的大事件が到来するという予言詩に対しては、誰も何の関心をも示さない。これはおかしいではないか——。

自分の頭のほうがよほどおかしいのかもしれないが、熱中癖からそうは思わず、ただ一縷の直観に導かれていた。それは、ここに懸かっているのは、当たる当たらないの問題とは大違いの別の問題であるということだった。

世人はどうやら、ノストラダムスについて根底から誤解をしているらしい。予言々々というが、実はこの人物にとっては、前期のごとく、予言することより、視る――幻視する――ことのほうが第一義的に重要なのだ。「世の俗流占星術師は」と云っている。「未来の星位を見て、そこから出来事を判定するが、自分は、出来事をまず視て、次にそのときの星位をもって時期を確定する」。このように「幻視ファースト」ときっぱり打ち出されているのに、この肝心のところが世間ではまったく無視されてしまっているのであった。

摩天楼崩壊のヴィジョン

一九九一年三月二十六日、ニューヨーク。

真昼時のマンハッタンは、さすが、人の行き交いが激しい。

私にとってアメリカは初めてというのに、脇目もふらず、郊外のある家へとせっせと通っている。その人に会いにわざわざ日本からやってきた。今日で三日目、終生忘れえぬ異変が、つい数分後に待ち受けているとも知らず、雑踏の中を泳いでいた。

その人物、ヴライク・イオネスクの『ノストラダムス・メッセージ』の拙訳第一巻を、ようやく、前月に出版したばかりだった。私は反応が遅い。日航機の機中で読んで大衝撃を受けてから、十年あまりも経ってしまっていた。「一九九一年六月、ソ連崩壊」の予告日は、もはや三ヶ月後に迫っている。「十日の菊」となっては意味がない。筑波大の若手フランス語系の同僚たちに下訳を手伝ってもらい、ぎりぎりのところで出版に間に合わせた。

角川春樹社長との奇縁のおかげだった。マルローの那智滝行を主題にしたＮＨＫテレビの年頭番組「神としての風景」に私は山本健吉氏に要請されて共に出演したことがあったが、角川社長はこれにインスピレートされて映画『天と地と』を制作したと聞かされた。おかげさまですと云われて面食らったが、なるほど、送られてきたビデオを見ると、フィルム巻頭に「那智滝図」が出てくる。が、まさか、そこからノストラダムスにむすびつこうとは……

もっとも、そのおかげで俺はいまマンハッタンまで来ているのだと、訳本を入れた鞄を握り直した。

ホテルを出て、セントラルパーク添いに、五番街のほうへと歩いていく。

帰国後のスケジュールが次々と頭に浮かんでくる。まず、イオネスク夫妻を日本で出迎え、博士とフジテレビに出る。冷戦終結の「その日」を満天下に予告する。当たれば「ノストラダムス現象」の真実性は証明されよう。当たらねば……そんなことは考えていなかった。「視たことは絶対に間違いない」との予言書の序文の言葉を信ずるまでだ。放送のあとは、大学での博士の講演会が待っている。まず、世間にアピールし、次はアカデミズムへの挑戦だ……

ふと、右手の「エンパイア・ステート・ビル」を見上げた。

四百四十三メートルは、高い、高い。

初めてこのビルの名前を聞いたのは、幼時、母からだった。キング・コングがね、エンパイア・ステート・ビルを昇っていくのよ……

首を伸ばして、だんだんと頂上のほうを見る。

と、何か、最上部に、大きな灰色の塊がもくもくと動いている。まさか……

足を止めて、凝視した。

と、何事であろう、超高層のてっぺんが、猛烈な暗灰色の噴煙につつまれて崩壊してくるではないか。

最上部は、階段状に徐々にすぼまっている、その下あたりから、巨大な角錐の建物が途方もない煙に覆われ、煙はところどころ海流のように大きな渦を巻いて、どろどろと崩れ落ちてくるのだ。

あゝっと、のけぞって、私は反射的に視線を逸らした。

大地震だと思った。ところが、地面は、びくりとも揺れていない。

周りを見た。みんな、パニックにとらわれているのではないか。ところが、路上の人々は、世界最大のビジネス街の昼時とて、他人のことなどかまえばこそ、互いにぶつからんばかりの勢いで当たり前のように往き来している。

つぎに瞬間的に思ったことは、自分の目がどうかしたのかということだった。それならば他の建物も変に見えるはずだ。だが、回りの林立する高層ビルは、みな、しっかりと立っている。とすれば、目のせいではないらしい。

とすると、いったい何が起こったのか。

そのときにはもう、恐怖にとらわれていた。

もういちど見て、確かめるほかはない。どうか、目の誤りであってくれ……

見たくはなかったが、仕方ない、恐る恐る見上げると、現象はまったく変わっていない。エンパイア・ステート・ビルのてっぺんから、暗灰色に溶けた溶岩状の流れが、巨大な角錐形マッスの下方へと、依然、どろどろと落下してくる。

炎とか火といった色彩はなく、モノクロームだった。カラー写真の上に、煙のところだけ白黒写真が重なったような。そのため、どことなく幻想映画のワンカットを見るような非現実感さえあって――。

そう瞬時に見てとるや、恐怖は倍加した。もう逃げるしかない。

走った。

誰かに声をかければいいのに、狂人と取られるにきまっている。現象は、明らかに、自分ひとりにしか起こっていないのだ。そしてそのことがよけいに恐怖をつのらせた。どこか逃げこむところはないか。左手にハンバーグ店が開いているのが目に入った。そこへ飛びこんだ。みんな、立ったまま、天下泰平にぱくついている。ここなら安全だろう。コーラを一口飲んで、胸の動機を抑え、こわごわ外へ出た。二度と上を見ないように、やってくるタクシーのほうへと走っていった……

これほどの椿事を、どうして私はイオネスクに語らなかったのか、不思議でならない。

三十分後、「ジャクソン・ハイツ」――まるで巨人族の棲家のような巨大団地の赤茶けた風景の中に入ったときには、なぜか、頭は切り換えられていた。

秘教の巨匠から学ぶために、ここに来ている。云ってみれば、ノストラダムス流に視ること、ヴィジョンなるものの秘伝を受けに。とすれば、いま自分が路上で見たばかりのことを告白して教えを受けることこそ、肝要だったのではないか。ブエノスアイレスで、真っ黒な怨霊について、翌朝早々、カイザーリング伯に告げたように。

そういうところが、不悟の身の浅ましさかと、あれから二十何年か経った今宵、もう間に合いはしないのに、白頭を掻いてうなだれている。若き日に、妙心寺の禅堂で老師から聞いた言葉がよみがえる。

《経が行を証するにあらず、行が経を証するなり》

視た、恐れた、逃げた——。

「魔界入りがたし」の境地を若き日から憧憬しながら、情けないことではあった。

駆けこんだイオネスク邸は、アパルトマンというより画家のアトリエのようだ。玄関を入ると、すぐ目の前から向こうの窓辺まで、キャンヴァスがぎっしりと詰めこまれた細長い空間があった。

抽象画家らしい。しかし、失礼ながら、一流とはいかないようで。古画鑑定家、修復師が本業というが、さもありなん。

世には的中率ゼロの予言解釈本で家まで建てた人もいるらしいが、史上最大の解読の偉業をなしとげながら、かくも清貧の人もいる。もっとも、ノストラダムス大先生にしてからが、ヴァロワ王朝の「王室顧問兼医師」と格付けされるまでは、美顔クリームや奇妙なレシピを売って稼がねばならなかったようだが。

「炉辺の人、玉のごとく」という漢語が頭に浮かぶ。そもそもルーマニア人といえばラテン系で、色白の美形の人が多いことを私は講演旅行で見てきたが、イオネスク博士も人品骨柄、まことに賤しからざる風体の人である。神父を父とするブカレストの名家に生まれ、建築学で学位を取った。しかし、何より、画業を志していたところ、見えない不思議な存在によって心霊修行に引き入れられる体験を持った。「僕はどのような人間になりますか」と質問したところ、「ノ、ス、ト、ラ、ダ、ム、ス、の、よ、う、な者になる」と答えられて仰天したという。ノストラダムスなど、読んだこともなかったからだ。そこから『サンテュリー』を読み、祖国ルーマニアを牛耳るソ連の命脈の尽きることを悟って、獄中――秘密警察に「ブルジョワ」の烙印を押されて一年半放りこまれた――聖母マリアに祈って、釈放されたら必ず解読書を世に送りますと固く誓った。

「あなたに心霊特訓をほどこしたエンティティは何だったんでしょうね」と、のちに訪日の折に質問すると、ちょっと苦笑した感じで私の顔を眺めなおし、彼はこう答えたものだった。「Tと名乗ったよ」と。

「ノストラダムスのような者になる」の意味については、後年、彼は、予言者に劣らぬ智恵者という意味であると悟った。自惚れではあるまい。「新グノーシス派」の著名哲学者、レモン・アベリオは、こう書いているほどなのだから――「ヴライク・イオネスクはノストラダムスの特権的解読家であるのみならず、いわばその霊的息子であり、その後継者たるべく因縁づけられた人なのである」と（フェラン社版『ノストラダムス・メッセージ』序文）。

父を暗殺され、自身も投獄された筋目正しい青年が、妻リディア――元劇団女優だった――と三人の子を伴って独裁者チャウシェスクと死闘を演じつつ亡命を果たし、ソ連崩壊の神託を伝えて自由世界を鼓舞せしめようと大著の出版に至ったことは、まことに動機からして自ずと天意に叶うものがあったに相違ない。

見えない世界を見ることにおいて予言者と画家は近似していると、ここのアトリエ兼サロンは告げているようであった。

玄関から入ると、まんまえのキャンヴァスの一番手前に、無造作に、「聖ヒエロニムス像」が立てかけられている。原著『ノストラダムス・メッセージ』の表紙絵に使われた古画なので、すぐ目についた。作者未詳らしい。一人の老隠者が左手指を髑髏の上に置き、絶望の表情を浮かべている。いつもこの絵をそこに置いてあるものか、それともわざわざ私に見せようとて飾ってくれたのか、わからない。が、イオネスクの誇りであり、勝利トロフィーであることは確かだ。歴代専門家が挑戦してはサジを投げてきた最難度の四行詩解読の鍵を、この画中に見いだしたからだ。

その四行詩中の《ヒエロン》（HIERON）という語がキーワードだった。

《人が船を造る土地ヒエロンに……》と、その四行詩の初句に出てくる。特別重要の固有名詞の例として、ここでもその綴り字はぜんぶ大文字で書かれている。

しかし、「ヒエロン」とは何か、さすがの「特権的解読家」も検討がつかなかった。ところが、あるとき、「ヒエロニムス像」を見ているうちに、そうか、「ヒエロン」とは、「ヒエロニムス」の省略形ではないかと閃いた。さらにそれが「ヒロシマ」のアナグラムである、と。ここから全文を次のごとく鮮やかに読み下したのだった。

人が船を造る土地　ヒロシマに
あまりにも大災害が　あまりにも素早く広がるため、
人は　身を隠す寸土尺地もなく
放射能は　オリュムポスの高みにまで立ち昇るであろう。

——『サンテュリー』Ⅷ－16

二〇一七年の現時点から考えると、別のあることに気づかせられる。聖ヒエロニムスの活動の地は、シリアだったということである。

かの「ダマスコの路」も、シリアである。聖パウロが、まだ「サウロ」の名で、ユダヤ人迫害の軍団を率いてダマスコ（ダマスカス）に向かう途上で、イエス顕現のヴィジョンを見て回心に至った。

二〇一四年から、イスラム過激派組織「ＩＳ」（イスラム国）がシリアに拠点を置いて世界を恐怖で震撼させはじめてから、沙漠の聖地は瀆聖の醜地となった。

＊

ところで、あの「エンパイア・ステート・ビル」崩壊のヴィジョンは、いったい何だったのか。

イオネスクにさえ私はそれを語らなかった。従って、今度ばかりは、ボルヘスに代わる謎ときの智者は現れてはくれなかった。謎は謎のままだった。

ところが、度しがたい愚者を見てはいられないとばかり、またしてもあちら側から信号が送られてきた。

マンハッタンの宿で、一人の老翁が夢枕に立ったのだ。

それは、筑波山神社の青木芳郎宮司だった。

「大変なことが迫っている。このままでは避けがたい……」

それだけ云うと、すうっと消えた。

奇態な夢だ……

はるばるニューヨークの旅枕まで、筑波山からお出ましとは……

未明二時。一睡もできずに朝を迎えた。そうでなくても、夜っぴて、五分おきぐらいにサイレンを鳴らしてパトカーや救急車が走り回るマンハッタンの夜は、容易に寝付けるものではなかった。

青木宮司とは昵懇の間柄だった。枯れたその人柄に惹かれて私は、山中の鄙びた神社にしげしげと詣でたものであった。夏場、割れ鐘のように大音声で鳴くクマゼミの森に囲まれ、それにも負けじと名物の大太鼓の鳴り轟く社殿に額づいたあと、毎回、別室でさまざまの昔語りを楽しく伺った。宮司の側からも、先生のおかげで初めて筑波大学に入れていただいたと感謝された。例の《コルドバ2》の国際会議の中日《なかび》に、壇上で修祓の儀式を挙げていただいたときのことである。

だが、それだけでは、宮司が夢知らせに顕れた理由にはならなかったであろう。まだ起こらない何か異変を知って警告を発したに相違ない。

未来から、である。


一つの謎と別の謎が連続して顕れるということは、すでに私は何度も経験ずみだった。ある意味で我が人生そのものがそのような連鎖であり、いわばそれを一冊のコード・ブックに見立てて、この長い手記を書きついでいる。最初の謎、「ロジエー！」のそれを、いつの日か、解きうるかとの思いで。

近いところでは、あの老子の夢告があった（「第四巻　筑波篇」第四-五章）。一つの謎が夢であたえられ、その意味を知りたいと願うと、解ではなく、次の夢で別の謎があたえられる。《コルドバ2》の国際会議準備で窮地に立ったとき、一人の老翁が夢枕に立って、不可思議な「中」という一字を示してくれた。分かりませんというと、もういちど顕れて、こんどは「夷方中」という一語を呈された。謎に対する謎だが、驚くべきシンクロニシティ現象によってその玄義は氷解した。

そういえば、かつてマルローから、「賢者は説かず、ただ、矢をもて示すのみ」と教わったことがあった。「矢をもて示す」（フレッシェー、flécher）――。悟りの悪い石頭は、何度示されても分からず、しかし、矢のほうも根気よく繰りかえし飛んできた。

夢もヴィジョンも透視の本質において変わりないゆえに、筑波生活のころ、蛮勇を振るって、過去五十年間の自分の不思議体験をリストアップしたことがあった。全部で四十三件を数えた。これを「元型の星座」と呼んで自己分析をこころみた。ある種の原体験は、見かけはばらばらでも、本質においては実は一続きではないか、放射状に、断続的に伸びていき、時には星座を形づくるのでは……とのイメージから「元型の放射」、さらには「元型の星座」と命名したのだが、いままたそこに、ニューヨークでの怪奇体験が加わるのだろうか……。

重い頭をかかえて、マンハッタンの宿を出た。その日も、イオネスク邸へと向かって。しかし、またしても、そこで、夢のことは語らずじまいだった。

あれは、いったい何だったのだろうか。
その後三十年間というもの――かの一九九一年から本手記出版の二〇二一年現在まで――ずっと、私は胸中ふかくこの問いを繰りかえしてきた。そして、あることに気づいた。自分の人生における最大の超自然現象の体験としては、このニューヨーク摩天楼崩壊のヴィジョンと、もう一つ、本巻の次の第二章で語る「ヴァレンヌ――王の石碑まえの秘声」の幻聴と、二つを挙げうるが、つらつら思うに、この二つながらに、ノ、ス、ト、ラ、ダ、ム、ス、ゆ、か、り、で得た体験だということである。ノストラダムス予言の正しさを証明せんがために、わざわざ日本からアメリカへ、またベルギーへと出かけていってこれらの出来事と遭遇したという点が共通している。ということは、私は視、ら、れ、て、い、た、ということにならないであろうか。

それにつけても思いだされることがある。日本へ来たヴライク・イオネスク博士は、あるとき、次の四行詩を私に示した。

衆人の前で　血は流され、
それは　天の高みから遠からぬところに達するであろう。
しかれども（その声は）長い間、聴きわけられず、
ただ一人の人士《エスプリ》のみ来たりて　証するであろう。

――『サンテュリー』Ⅳ―49

《衆人の前で血は流され……》は、博士によれば三島由紀夫ということだったが、最

後の《ただ一人の人士》については、「これは、君だよ」というのであった。

そう云いながら私をじっと見たときの視線は記憶に灼きついている。まさかと思うし、このようなことを口外すれば誤解の種となるので厳につつしんできたが、真理追究のために、リスク覚悟であえて披露する次第である。

三島由紀夫と私の関係は、たしかにフランスに向けて氏の自刃の真義を証することにあった。市ヶ谷台上の義挙の直前に、氏はパリの私のもとまである信号を送ってきたし、それに応えて私は、暴力的テロ行為として非難轟々のテレビに出て、イエスの磔刑になぞらえてこの犠牲行為を擁護した。それから歳月が流れ、旧臘、三島歿後五十年の憂国忌では祭主をつとめ、その祭文は仏訳されてフランスのメディアにも伝えられた。さらに現在、仏文で三島論を執筆中である。このように、《長い間　聴きわけられず》にきた日本の天才作家の死の理由について、一貫して犠牲死の見地からフランスでそれを説きつづけたのは、客観的に見て、たしかに私一人だったかもしれない。

しかして、大義のための献身こそは、ノストラダムス思想の妙諦にほかならないのだ。衆人環視の中での流血は《天の高みから遠からぬところに達するであろう》と云っている。

もう一つ、考慮すべき観点がある。

ノストラダムスの秘法の一は、頭脳コンタクトによるもののようである。一世に名高いヴァレンヌの予言詩二篇は、「ルイ十六世の頭脳にコンタクトした結果としか思えない」と、世界的神話学者、コレージュ・ド・フランスのポール・デュメジル教授は喝破した。『サンテュリー』にはそのようなコンタクトの跡が随所に刻みつけられている。そのような場合、多くは《ある者》と略記するに留まるが――五十嵐一の場合も同様――人物の特徴を詳述したケースも残されている。

このことと、私自身が経験した二つの圧倒的な幻視幻聴の現象とがどうむすびつくのかは、分からない。しかし、何かがありそうである。将来、人間の脳研究が飛躍的に進んだ段階で、思わぬ解明がもたらされるかもしれない。

*

一足先にニューヨークから帰国し、数日後、イオネスク夫妻を成田に出迎えた。秘伝学の大家は、一冊のペーパーバック本を手にゲートを出てくると、開口一番、「ニューヨークの空港で三島由紀夫の『暁の寺』を買って読んできたよ」と云った。「ミシマ」、は彼にとって又とない導き手となる。三週間の滞日のおかげで、それまで解けなかったノストラダムス予言詩の難問が幾つも解けたと聞かされた。こうした新素材を含むイオネスクの書き下ろしテキストは、拙訳により、二年後（一九九三年）、『ノストラダムス・メッセージ』第二巻として日の目を見た。

しかし、「ソ連崩壊」を予示した同書の第一巻のほうは二月に刊行されてから一ヶ月も経つというのに、読書界からは何の反響も聞こえてこなかった。

ノストラダムス・ファンは日本にはごまんといる。みな、『大予言』ブームのお得意さんばかりだ。その時々に面白がって読んだあとは、要するにこれは「エンタメ」だったと気づいて熱も冷め、一時は洪水のごとく溢れた本も、いまやどこの古本屋の店頭にも埃をかぶって山積している有様だ。それでも、著者や出版社はお蔵が建ったから目出度いものの、打ち出の小槌なみに利用された予言者当人の真実は歪められ、名誉は地に墜ちたまま、すべて忘却されようとしていた。

そんなときに世に出たのが、われわれのイオネスク本である。同書は、十九世紀ペルティエの創始した唯一の科学的解読法に拠り、離れ業的な名解読をちりばめた斯界の金字塔ながら、先にも述べたとおり、けっして大衆受けする本ではない。しかし、少なくとも、堂々と、「一九九一年六月ソ連崩壊」という予告を打ち出している。こうしたチャレンジをまえに、目に見えない無数のノストラダムス・ファンが息をひそめて結果を見守っている空気を私は感じていた。

放たれた矢が金的を射貫きさえすれば、沈黙は歓呼に取って代わられよう。外れたらどうか——。だが、不思議に私に迷いはなかった。それほど、一個の天才から一個の天才へと伝授された、この歴史的解読者に対する信頼は、自分の中で不動だった。それにしても、事が証明されるまでの四ヶ月間は、ぴんと張りつめた薄氷のような空気の中で呼吸する息苦しさを感じていた。

見えない世界に橋を架ける《コルドバ２》の冒険を共にやった筑波派《ツクビスト》の同志が、こういうときには少しはこっちを振り向いてくれるかと思ったが、さっぱり声は上がらない。所詮は生きる世界が違っていたのだろうか。

あゝ、こういうときに松見守道が生きていてくれたらなあと思った。「あんたは奇想天外のことをやりおる」と云って、何をやっても見守ってくれた。波浪万里を蹴立てて日章丸を走らせた出光佐三翁をして恐れしめたほどの、あの快男児ありせば、何と云っただろうか。

しかし、那須与一に、二の矢はない。壇ノ浦で、金的を射貫かなければ与一は腹を切る覚悟だった。いや、その覚悟あってこそ、矢は的を射たのだ。そう思って、臍《ほぞ》を固めた。

いや、たった一人、例外があった。筑波派の中に。

「精神病理学界三奇人の一人」、といわれた小田晋である。奇を解するは、やはり、奇のみか。彼は、月刊誌『諸君！』に筆を取り、「ついに現職大学教授までを巻きこんでのノストラダムス合戦……」と書き立てた。

なるほど、愚生が、自ら発願して大ウワバミに巻きこまれた事実に間違いはない。ただ、小田晋の記事は、どこか、渡邊一夫東大教授の『ルネサンス断章』を拠り所とした気味がなきにしもあらずだった。それによれば、前記のごとくノストラダムスは「いんちき占星術師」、またその予言は只の「迷信」にすぎないというものである。

しかし、尖鋭な科学者であるとともに文学的教養もゆたかで、かつ憂国の士であるこの人物とは、私は気心が合ったので、一日、土浦の天麩羅屋に誘い出して冒険を打ち明けた。

「喫緊の近未来予言にどんなものがありますか」

と彼は訊いてきた。

「少なくとも二つありますよ」と応じて私は云った。「一つは、今年六月にソ連は崩壊するであろうということです……」

海老をつまみかけた箸をカウンターに置いて、小田晋は手帖を取り出し、素早く書き留めた。

「もう一つは」と私は続けた。「同じく今年八月十八日以後に、ゴルバチョフは死に体となるであろう、というのです」

彼はそれをも書き留めた。横から覗くと、相変わらず針の先で突いたような細字である。

「死に体とは何ですか」

と、こちらに顔を向け、度の強そうな眼鏡を光らせて畳みかけてくる。

「原文では《ミ・ザ・モール》と書かれています。《死の瀬戸際に追いやられるであろう》という意味です」

小田晋はフランス語も解するから油断ならない。筑波のカラオケ屋で私は一本取られたことがあった。演歌を同時通訳的に仏訳して歌うのが我が特技（？）で、その晩も教授連のよく通う学園都市のスナックで好い気分になって珍芸を披露していると、歌いおわるや、ずばりこう云われた。「〽男を売る……という歌詞と、〽何で大政《おおまさ》国を売る……という歌詞とで、売るを同じ動詞で訳したのはおかしいでしょう」と。

そんなふうに、凄みと優しみを合わせ持った怪人ではあった。「ソ連崩壊」の予告に彼が興味を持たないはずがないと踏んだが、この狙いは外れていなかった。

いまとなっては、小田晋は有難い証人である。天麩羅屋で取ったメモにもとづいて、「予言的中」と知るや、二度も電話をかけてよこした。

一回目は「ソ連崩壊」のニュースが伝わったときで、びっくりするような勢いで、「当たりましたね、なぜでしょう」と云ってきた。次は「八月十九日のゴルバチョフのクリミヤ半島幽閉」の報に、ますますせきこんで訊くのだった。「八月十八日以降というのが、また当たりましたね、不思議ですね、なぜでしょう」

頭のてっぺんから出るキイキイ声が、いまでは懐かしい。

「なぜでしょう」――この一言で辛苦は報いられた。

そこまでフォローしてくれたのは、小田先生、あなただけでした。私より一歳年下で、互いに退官後再会することなく、四年前（二〇一三年現在）、八十歳で先立たれた……

メディアというものはそれなりの謳い文句を考えるもので、フジテレビは、私にはこそばゆいような、「三日で分かるノストラダムス」という題名で深夜放送番組を組んだ。当時人気の露木アナウンサーの、渋い人柄の滲み出た司会のもと、イオネスクと私は並んで連続出演した。第一夜、スタジオを出るときにはすでに、深夜放送始まって以来の高視聴率と知らされた。いよいよ「ソ連崩壊」を予告した第三夜には、町々のレストラ

1

Transmission secrète de
Nostradamus Code
秘伝
ノストラダムス・コード
逆転の世界史
竹本忠雄
筑波大学名誉教授
2

VLAICU IONESCU
LE MESSAGE DE
Nostradamus
SUR
L'ERE
DIFFUSION:
DERVY-LIVRES
PARIS
3

11 AOÛT 1999

SPÉCIAL ÉCLIPSE

Reims : « Face à la cathé le Soleil est sur votre dr

A Reims, les nuages ont laissé filtrer quelques instants de bonheur. Au pied d on a même nettement distingué des protubérances solaires.

Epernay : Axel, né à 12 h 24

T à 12 heures 24 minu-
s exactement, au mo-
ent où la Lune éclipsait
t le Soleil au-dessus
que le petit Axel De-
né.

eur Chiche, gynécologue
équipe médicale de la
aint-Vincent, ont mis au
garçon de 3,44 kilos et
timètres. Sylvie et Be-
parents, qui demeurent
petite commune de
nt bien sûr ravis d'avoir
donné naissance à cet « *enfant de l'éclipse* ». Même s'ils n'ont pas pu profiter du spectacle !

4

1.　1991年2月、著者58歳、ノストラダムス予言の「科学的解読法」の権威、ヴライク・イオネスク博士とフジTVに出演して「ソ連崩壊1991年6月」を予告、的中させて世人の爆発的支持を得る(10頁)。
2.　同博士の歴史的解読書『ノストラダムス・メッセージ』を抄訳刊行。
3.　自著『ノストラダムス・コード』。
4.　「1999年7月恐怖の大王…」は皆既日蝕なりとのイオネスク説を紹介、的中。日蝕の瞬間、ランス市で生まれた坊や(切り抜き)が果たして「大君侯」に？　撮影 佐々木桂

ンから客足が退いたという噂を聞いた。もっとも、こうしたすべては、好奇心の表れにすぎず、予告が外れれば、自ら掘った大きな墓穴に真っ逆さまに転落すること必定だった。筑波大でイオネスクの講演が行われたのは、放送から二週間後、四月十日のことである。その場に五十嵐助教授が居合わせて予感的詩句を綴ったことは、単なるエピソードではなく、「現象」そのものへの参入であることに、まだ私は気づくよしもなかった。

「コンタクト」――すべてはこの一語に尽きる。

私にとって、第一コンタクトは、マンハッタン、第二コンタクトは講演会からちょうど十日後に東京で起ころうとしていた。

その日の昼ごろ、茗荷谷に向かっていた。筑波大学副学長、高橋進教授の退官記念パーティの行われる茗渓会館に向かって、丸ノ内線の茗荷谷駅で降り、大通りを新大塚の方角へと歩きはじめた。すぐ右手の奥には、わが母校、東京教育大学の東京キャンパスが建っている。一九九一年のその時点では周囲にまだ高層建築がなく、それは私にとって幸いだった。というわけは、マンハッタンで摩天楼崩壊のヴィジョンを見て以来、一種の恐怖症に陥ってしまっていたからだ。あの恐怖だけは二度と味わいたくない。どこへ行っても超高層だけは見上げまい……。茗渓会館は、当時は低い建物で、すぐ先の左側だから、何の心配もない。五，六分で着ける。そこで何気なく、ふと、右手の、四階建ての小建築に視線が行った。この高さなら大丈夫と、ちらと見上げた瞬間、凍りついた。その最上部が、やはり崩落してくるのであった。

摩天楼とは限らない、こんなちゃちな貸しビル程度の建物まで崩れてくるなら、どこへ行っても、もう駄目だ……。絶望に駆られて、パーティ会場に逃げこんだ。

明るい雰囲気の中に、主賓を囲む同僚の顔々を見いだして、人心地がついた。グラスを手にした「筑波越え」の面々の笑顔に救われる。湯浅泰雄博士がいる。高橋・湯浅両教授の秘蔵弟子、丸山敏秋君がいる。みな、倫理学の権威ながら、異界を無視するような堅物ではない。それにしても、晴れの席で枉事《まがごと》を口にするなど、できるはずがない……

まして、高橋進教授は、剣道の達人である。がっしりした小背から、ある種のオーラを発散し、一気に斬りこんでくる凄みを持っている。筑波の長き夜の酒盛りで、こっちはもうこれ以上は付き合いかねると退散しかけると、敵に背中を見せるとは卑怯なりと一喝されて縮みあがったこともある。最も印象に残ったのは、副学長選挙のとき、夫子、急に一週間ほどキャンパスから姿を消したと思ったら、中曽根首相の参禅する信州の禅寺に引き篭もり、下山するや一撃でライバルを打ち破って、狙いの座を仕止めた。

湯浅泰雄をインドネシアから招いて筑波大教授に据えたのは、高橋進の大金星だった。そしてご両所の指導のもと、サラブレッドの丸山敏秋が学位を取り、つぎは湯浅・丸山の師弟コンビのおかげで我が悲願とする《コルドバからツクバへ》計画が達成できたことを考えれば、そもそもの恩人は高橋教授で、この人に私は足を向けて寝られない道理であった。

やがて湯浅泰雄を会長として人体科学会が生まれ、現に倫理研究所の丸山敏秋理事長を副会長として同会は国際的にも高い地位を得たのであるが、私のほうは、同会発祥の起源にかかわりながらも入会せずに、以後、いかなる学会とも縁のない道を歩もうとしていた。湯浅教授から「君はアカデミズムに囚われない人」と云われたが、松見守道から渾名された「パリ一匹狼」の根性をいつまでも捨てきれずにいたことは確かで、帰巣本能的にそこへ帰ろうという意思がいつも心底にはたらいていた。そんなこんなで、そのとき、二叉に岐れゆく道の接点に立っていたのだろうか。そのことが象徴的に表れていたのが、その日の自分の駆けこみ行為だったのかもしれない。学会名士の華々しい宴席に、自分ひとりが、誰にも云えず、不可解な凶兆を胸に押し隠したまま連なっていようとは……

ニューヨークで、イオネスク邸に行く途中に最初のヴィジョンを見たにもかかわらず、この秘教の大家にさえも打ち明けられなかったように、こんども、あの命がけの未知世界への冒険を共にした同志たちにさえ、見たばかりの秘密を明かせずに悶々として。

自分の因循な性格によるものか、それともそのような秘密の性質——超自然的な——によるものか、いまもって判然としない。

さて、イオネスク博士の講演からちょうど二ヶ月が過ぎたとき、「ソ連崩壊」の事実は起こった。

一九九一年六月十二日、ボリス・エリツィンが「ロシア共和国」大統領に選出され、その日にまさしくソ連帝国崩壊は始まったのである。このことを私は、翌々日の産経新聞の一面トップに、戦車に乗って、にっこり笑って手を振るエリツィンの顔写真と、その下に「連邦解体への序曲」との見出しが踊っているのを見て知り、生涯忘れえぬ感動を味わった。ルーレットは止まり、玉は予見した数字のポケットに、ぴたりと転がっていって沈んだのである。

大勝利だ。

しかもまだ先があった。

ルーレットはまた回りはじめ、次なる数字の上でまたもぴたりと玉は収まったのである。前記のごとくそれは、同じ一九九一年の「八月十九日」のポケットだった。ソ連最後の大統領で、国の民主化への道を開いたゴルバチョフについて、《八月十八日以後、死に体となるであろう》と予言されていたが、まさしく、八月十九日、保守派の反動クーデターのためゴルバチョフはクリミヤ半島に監禁され、一時は生命の安否さえ不明となったのである。

「ソ連崩壊」にひきつづいて「ゴルバチョフの死に体」について、実名入りで期日を正確に予告したことで、イオネスク解読の正統性は、一段と揺るぎなきものとなった。最近になって、あるブログに、「『ノストラダムス・メッセージ』はファンの間で爆発的支持を得た」とあるのを発見して、そうだったのかと知らされた。博識の異界探訪者、荒俣宏氏が、「ソ連崩壊の期日を予告したのは驚嘆に値する」と某著に記したのを目にしたのも、比較的最近のことにすぎない。拙訳書は、北海道ではベストセラー入りしたとのことで、「もう少しで一位のところ惜しいことでした」と知らせてくれたのは、「世界早読み」の達人、評論家の宮崎正弘氏からの電話だった。筑波大まで某誌の記者がインタビューに来て、「ソ連崩壊の予告が外れるとは思わなかったのですか」と聞くので、「ぜーんぜん」と答えると、信じられないといった目つきをされた。ゴルバチョフ行方不明とのニュースが流れたときには、さらに反響の輪は広がった。東京のメトロの中にまで女性誌の記者が追ってきて、「ゴルバチョフは生きて出てこられるのですか」と訊かれたりした。

確かな手応え、世俗的成功ではあった。

ただ、私としては、それまでの、当たった当たらない式の、宝くじ並み、バラエティショー並みの扱いから問題を引きあげなければとの思いをもって臨んだことであるから、日本のインテリ層の間からもっと反応が返ってきてほしいところだった。事は、進歩主義的歴史観とは全く相容れない観点からの未来史なのであるから。

いや、たった一つ、意外な方面からの声が上がったことを書き忘れるところだった。

岡崎久彦元駐タイ大使から私の研究室に電話があり、博報堂の会長がノストラダムスに関心があるので一緒に話を聞きたいという。大使とはそれが初対面だったろうか。東京の料亭でお会いし、以後、交流が生じた。「外務省で未来学の研究グループを立ちあげていますが、ご本に書かれていることが自分たちの予測していることと一致しているので、みんな驚いていています」と云われて、こっちこそびっくりした。見る人は見ていたということであろうか。

「秘密予兆を受けし者」

「一九九一年六月十二日」にソ連崩壊が始まり、二ヶ月後の「八月十九日」にゴルバチョフが危殆《きたい》に瀕するとの予言解読が、まさしくそのとおりに歴史的事実として起こったことにより、私は第一の関門を成功裏にパスすることができた。

次なる関門は、かの有名な《一九九九年七月《ななつき》、天から恐怖の大王が到来する……》をどう解読するか、である。世間に横行する荒唐無稽な俗説を尻目にかけ、イオネスク説は、その日、「一九九九年八月十一日」に全ヨーロッパ横断の皆既日蝕が起こるというものであった。真偽は八年後でなければ分からない。多くのファンが又も息をひそめて見守る空気を私は感じていた。

しかし、その間に、もっと身近な、凄惨な一事件が起こると『サンテュリー』中に予言されていると知る者は、世界中に皆無であった。

その事件がまさに、「一九九一年七月十一日、『悪魔の詩』訳者殺人事件」にほかならない。

イオネスクの炯眼からさえ、当初はまだそれは洩れていた。

五十嵐事件は、実際に、ソ連崩壊開始のちょうど一ヶ月後に起こった。そして、さらに信じがたいことに、二つの事件の間には連続性があるということさえ、『サンテュリー』は予示していたのである。

イオネスクがそのことに気づいたのは、日本からの帰国後、事件が起こってからだった。ニューヨークからの電話で私はそう指摘され、動かぬ証拠を示されて仰天するとともに、わが身も事件にかかわっている因縁の深さに戦慄した。

そこで、二十六年の歳月を遡って、もういちど本件に深層から光をあてなおしてみようと思う。が、そのまえに、ノストラダムス・ヴィジョンが如何なる超越的巨視観のもとにあるかということを見直しておく必要を感ずる。なぜなら、『サンテュリー』は、比類なき予言書であるとともに一個の純粋な思想書であり、何よりも後代の西洋が「進歩」の名において犯すであろう大罪への警鐘、ひいては高度の現代文明批評でもあるからだ。究極にはそれは、人生いかにあるべきか——盛者必滅の未来史を通観して——の問いに対する、きわめて高次元からの啓示書であるということができる。

また、このような本質を看過したがゆえに、このルネサンスの巨匠の文書は、これまでまともな学問的研究の対象とされることはなかった。

聖ヨハネを奉ずるオルヴァル僧院で修行して超人的幻視力を体得した放浪の道士が、南仏のサロン市の自宅兼天体観測所で透視したものは、予言集序文に綴られたとおり、「フランス王国もカトリック世界もひっくりかえる」ような「人類未来の一大異変」必来の運命だった。それを彼は「卑俗的（共産的）出来事」（コマン・アヴェーヌメン

Commun Avénement）という造語をもって呼んだ。そして「たとえ世人の機嫌を損じようとも、余はこのことを、わざと曖昧に、しかし毅然として伝えんとした」のであった。「卑俗的出来事」とは、端的にフランス革命とロシア革命の人類史的二大事件を意味するということは、ペルティイエからイオネスクに至る二百年間の最強チームによって明らかにされた。もっとも、「レヴォリューション＝革命」と云ったところで、十六世紀人には何のことやら分からなかったであろうから、それをノストラダムスは「バビロン」と名づけた。史上最残酷といわれた古代アッシリアによるバビロニア帝国建設になぞらえたのである。

「卑俗的出来事」は、《第一のバビロン》ことフランス革命と、《第二のバビロン》ことロシア（十月）革命と、二度にわたって遂行されると見た。

《第一のバビロン》フランス革命による「世紀の革新」は、「一七九二年」に起こると、年代をも特定した。実際にその年にフランス共和国は創建され、革命暦が制定されたのだ。《第二のバビロン》、すなわちボルシェヴィキによる十月革命によってソ連は誕生した。それは「十月の回天の大事件」で始まり、「きっかり七十三年と七ヶ月しか続かないであろう」と驚嘆すべき明確さをもって予言された。この持続期間とはソ連帝国のそれにほかならないと解し、よってソ連の命運は西暦一九九一年六月をもって尽きると鮮やかに推断したのが、ソ連支配下に呻吟するルーマニアの一青年、ヴライク・イオネスクだったのである。

ロシア革命はフランス革命に「輪をかけたおぞましさ」であり、「地球も、ために重力を失って永遠の闇ふかくへ沈んでいくかと見えるほどのものとなろう」と、予言集は言辞を尽くしてその恐怖の実態を暴きたてている。

二十世紀に実際に全地上を覆った、無慮一億ともいわれるソ連共産主義体制による殺戮を思えば、けっして誇張にすぎる表現ではない。

ノストラダムス予言がカバーする未来諸事件はそれだけではない。それは、彼の同時代であるヴァロワ王朝以後のフランス歴代王朝の消長に始まって、フランス革命の発端から恐怖政治に至る進展の逐一を、次にナポレオンの全生涯を活写し、ドーヴァー海峡をわたって名誉革命前後のイギリス、新大陸アメリカの独立、ここから「太平洋に嵐を呼ぶであろう」とアメリカと日本との必然的激突に及び、さらにはヒトラー・スターリン・毛沢東と二十世紀の「三大偽キリスト」の出現に至るまで、われわれが世界史で学ぶ主要事項の大半を絢爛たる絵巻として繰り広げるのである。

しかも、主要登場人物の固有名詞と関係年代を、ぴたりぴたりと指摘し、のみならず「教科書の教えない」歴史の裏面に至るまで、細部にわたって呵責なく抉り出して余すところがない。
予言*の射程は、西紀三七九七年まで及ぶとされている。しかし、ノストラダムス未来学は、現代の「科学的」を僭称する擬似ニュートラルな歴史観の、のっぺり、散文型ではない。そこには、人類史の本質が民主主義と共産主義の二大陣営に分かれた血みどろの相剋の連続闘争となるであろうことが、手にとるごとく明言されている。「王への書簡」で彼はいう――「世界は、いついつまでも尊き神霊を斎《いつ》き祀る側と、これを冒瀆する側とに分かれるでありましょう」と。またそこには善悪恒久闘争の根源的世界観が反映されている。忘れてはなるまい――ミシェル・ド・ノートルダムは、自他ともに「黙示録のヨハネ」の後継者をもって任ずる立場にあることを。

*実際には、西暦二七九七年から人類はミレニアム（千福年）に入るとされることから、ノストラダムス予言の実質射程はその年代までとみられる。

さて、このような首尾一貫した巨大ヴィジョンの持主が、《第一のバビロン》フランス革命よりも「それに輪をかけておぞましき、その落胤たる」《第二のバビロン》ロシア革命をもって一九一七年にソ連が創建され、それは「きっかりと七十三年七ヶ月後」に崩壊するであろうと見透しているのである。
さらには、摩訶不可思議なことに、「ソ連創建」と「ソ連崩壊」のそれぞれ一ヶ月後に、ある天象の異変が起こることをも察知して、別の関連事項をも暗示しているのである。天象の異変とは、皆既日蝕である。

『サンテュリー』は、これらの連続事象について、とうてい人間わざとは思えない正確さをもって予言しているのだが、それらを時系列的に示せば次のようになる。

——一七九二年九月十二日、《第一のバビロン》＝仏革命・共和国創建。

その一ヶ月後、

——一九一七年十一月七日（新暦）、《第二のバビロン》＝ロシア革命・ソ連創建。

——一九一七年十二月十四日、皆既日蝕

——一九九一年六月十二日、ソ連崩壊

その一ヶ月後、

——一九九一年七月十一日、皆既日蝕

この最後の皆既日蝕の起こる「七月十一日」が、まさに「『悪魔の詩』訳者殺人事件」の起こった日付にほかならないのである。

『サンテュリー』には、この事件そのものを予告した次のような四行詩さえ出てくる。

イランには　砲雨　飢餓　戦争が続発し、
主君（パーレヴィ国王）は　過信して裏切られよう。
ガリアで始まったもの（仏革命）を　ホメイニは持ち帰り、
最期の運命《さだめ》を受けし或る者のため　余は　秘密予兆を告ぐ。
――ノストラダムス『サンテュリー』Ⅰ―70

《最期の運命を受けし或る者》とは、従って、五十嵐助教授その人であることの公算大であろう。その根拠は、《秘密予兆》の一語にあり、それは彼が殺された当日の皆既日蝕を示すと受けとれるからである。

右の四行詩の意味は明々白々だ。「ホメイニ」の名はアナグラムによって解ける。ホメイニは、パーレヴィ皇帝を追放し、《第一のバビロン》こと、フランス（ガリア）革命をパリで学んで、そこからイラン革命をやってのけた男なるがゆえに、ノストラダムスにとっては敵性であった。反対に、ホメイニの殺人指令によって殺される運命にある《或る者》――五十嵐一――に対しては、その敬神ゆえにシンパシーを感じている気味がある。よって、ソ連崩壊から一ヶ月後、すなわち「一九九一年七月十一日」に皆既日蝕が起こるという《秘密予兆》を予告して、もって警告とする……

およそこのような意味と解して大過なかろう。
そうとすると、「『悪魔の詩』訳者殺人事件」は、ノストラダムス・ヴィジョンにおいては小事件ではなく——なにしろ四行詩を献じられている——、《未来人類の大事件》の延長線上に置かれた一挿話と見るのが正解であろう。

ところで、日本にも、五十嵐事件を日蝕の《秘密予兆》とむすびつけて解釈した唯一の賢人があったことを特記せねばならぬ。ほかならぬ筑波山神社の青木芳郎宮司である。凶刃に倒れた五十嵐助教授の鎮魂祭を青木宮司に現場で挙げていただいたことは、前記のごとくであるが、そのときに宮司が奏上した「清祓いの祝詞」の中で実にこの天体現象は詳細に触れられていたのである。

ノリトは、参列したわれわれ筑波大の教官を深く感動せしめた含蓄ふかきものであり、何よりも、この日蝕と凶行との暗合の指摘には驚嘆させられたことであった。刺客がイランより送られてきたことからのひそみであろう、宮司は、冒頭に日本の神代記をもとに《……古都スサを名に負ひ給ひける須佐之男尊》の狼藉を喚起し、その犠牲となった稚日女尊《わかひるめのみこと》に五十嵐一の死を重ねあわせて、《あはれ傷ましかも、あはれ悲しきかも……》と嘆いたのちに、こう述べたのであった。

……平成三年七月十一日の夜空に、明くれば旧六月の新月を数ふるころ、ハワイ、メキシコ、ブラジルにては真昼にて日蝕起こり、特にメキシコ、ラスベガスの空にては日本時間の七月十二日午前十時三十分より六分二十秒の間、今世紀最大の日蝕が観測されしころにて……

あはれ、筑波大学教授五十嵐一大人命《うしのみこと》は、神代の稚日女尊のごとく、此之所《これのところ》（エレベーター前の殺人現場を示す）にて力の限りを尽くして荒き荒《すさ》びを伐《う》ち平らげて神上がりまし、安らけき永の眠りに就き給ひしは、いとも口惜しき限りなれ……

——筑波山神社宮司青木芳郎奏文「故五十嵐一教授に捧ぐる清払ひの祝詞」

鎮魂祭の翌朝、キャンパス近くのカフェで私は、慰霊祭に列席した三人の文化系教授とぱったり出喰わした。そんなことは後にも先にもないことだった。ギリシア哲学の辻村誠三、グリム童話研究家の小澤俊夫（小澤征爾の兄）、ミルチア・エリアーデの弟子で宗教哲学者の荒木美智雄の三人で、いずれ劣らぬこれら精神世界のエキスパートが口をきわめて青木宮司のノリトを讃美するのであった。わけても、「あの日蝕との関係を示唆したのは誰にもできないことだった」と——。

そのときには、イオネスクも私も、まだ、《秘密予兆を告ぐ》という四行詩の発見に至っていなかった。もし知っていて話したなら、彼らの驚愕はどんなにか倍加したことであろう。

実をいうと私は、この章で、右のノストラダムスの四行詩と、五十嵐助教授がイオネスクの講演を聴きながら書き綴った四行詩とを並べて掲げたいと念願していた。しかし、五十嵐君の四行詩のほうは、今日までのところ、ついに見つかっていない。

ただ、そのメモは、唯一、筑波中央警察署に保管されていることは分かっていたので、署長あてに「情報開示」を要請して手紙を出しておいたところ、つい六日まえ（二〇一七年六月十九日）に同署の刑事第一課長から電話で応答があった。お出しできませんという。だって事件は疾うに時効になっているではありませんかと応ずると、犯罪者が外国人で逃亡した場合には刑事訴訟法第四十七条により時効停止になるのですとの説明であった。

イスラム圏に対する忖度——目下の流行語を使っていえば——から犯人捜査を放棄して時効停止とは矛盾しているではありませんかと、よほど云いたかったが、虚しい気がして言葉を呑みこんだ。

いつの日か、本手記を読む方々の中に、もし奇特の士がおられれば、微志を継いで、どうか最後のミステリーを究明せられんことを。

「百条委員会とか地方議会とかから要請があれば別」との例外規定もあるようだから。

こうして二つの四行詩比較という望みは絶たれたが、さわりのところだけ並記して、もって非凡なる殉難者への手向けとしよう。

……最期の運命《さだめ》を受けし或る者のため
余は秘密予兆を告ぐ

——ノストラダムス『サンテュリー』I—70四行詩

……階段の裏で殺されるだろう

——五十嵐一「四行詩」より

コンタクト

こうして「一九九一年」は、私にとって終生忘れがたきアバンチュールとなった。

隠微なスピリテュアル体験と巨大な歴史の接線を生きたという意味で、わが人生最大のミステリーとさえ云いうるかもしれない。しかもそれはまだ終わってはいなかった。

その続きを語るまえに、前述の「コンタクト」について一言しておきたい。

このありふれた言葉の玄義を、私は、コレージュ・ド・フランス教授のポール・デュメジル博士のある著書から学んだ。

比較神話学の権威としての博士の令名は、パリ留学中につとに耳にしていた。わが畏友とする吉田敦彦（学習院大学名誉教授）が留学時代にデュメジル博士に師事し、才色兼備の名声高い富子夫人とともに何度か私を自宅に招いてくださった折に、いつも敬意をみなぎらせてその名を挙げていたからである。彼が論文を送ったことへの返信であろうか、ただひとこと、《MERCI》（メルシー）と、紙幅いっぱいに書かれた葉書が卓上に飾られているのを見て、師弟愛を感じさせられたこともあった。そのような間接の縁から、雲の上の巨匠の存在ながら人間味を感じさせられていたデュメジル博士に、『黒き僧、灰色姿で、ヴァレンヌの中に』というノストラダムス論があると知って、私は飛びついて読んだ。なにしろ、「ヴァレンヌ」の一語が題名に冠せられている。そして同書を読むや、次のような問いを見いだして衝撃を喫したのである。

「ノストラダムスは、ルイ十六世の頭脳とコンタクトしたのではなかろうか」と。

世界史に名高い王夫妻の「ヴァレンヌへの逃走」があまりにもリアルに予言されてい

るのに驚いて、ポール・デュメジルは、こう率直に嘆声を発しているのだが、たしかに、「ノストラダムス現象」なるものを突きつめていくと、誰しも究極的にはこのような根本疑に到達せずにはいられなくなる。未来諸事件の主役たちの一人々々の、まさに「脳」とコンタクトした、ときにはコミュニケートしたのでなければ、到底これほど具体的には書けなかったであろうと思わされるのが、予言集『サンテュリー』だからである。

　同書には、実際に、「コンタクト」が行われたとおぼしき痕跡が多々残されている。接触した未来の人々が歴史上の人物の場合、彼らの固有名詞が四行詩中に触れられているのだ。それらの固有名詞をずばり挙げる場合もあれば、アナグラム化する場合もあり、また、職業、役割をもって代える場合もある。かと思うと、「ある者」、「かの者」といった呼びかたに留める場合も少なくない。「『悪魔の詩』訳者殺人事件」は、この後者の例だった。

《……最期の運命《さだめ》を受けし或る者のため　余は秘密予兆を告ぐ》――イランのホメイニからの刺客によって殺される運命におかれた「或る者」のために、凶行が二十世紀最大の皆既日蝕の起こる日、「一九九一年七月十一日」に行われるであろうと、前述のごとく、天象による期日をずばり指摘して警告としているのであった。

つらつら思うに、マンハッタンで私のもとへ送られてきたヴィジョンも、夢も、事件の《秘密予兆》にほかならなかったのではなかろうか。

摩天楼崩壊のヴィジョンと青木宮司の夢告がそれであるが、どちらも、ニューヨークで、ノストラダムス学の直伝を受けに愚生がイオネスク邸に通う一週間のあいだに我が身に起こった。このことと、それから百日ほどのちに五十嵐事件が起こったことの間には何らかの因果関係があったというふうに考えられてくる。

殊にも「大変な出来事が起こる。このままでは避けがたい……」と筑波山神社宮司が夢枕に立って告げたことは、紛れもなく事件への警告であったろう。しかし、なぜ、「青木宮司」であって他の誰でもなかったのか、これはおそらく、後に故人の鎮魂祭が青木宮司によって執り行われるに至る因縁によるものかと思われる。しかも、あの感動的なノリトにおいて「皆既日蝕」に言及された。この地上で青木宮司は、ただひとり、日蝕という《秘密予兆》をノストラダムスと共有した賢者だったのである。

これに比べると、摩天楼崩壊のヴィジョンのほうは、なぜ自分がそんなものを見たのかという理由が、長い間、私にとっては解けない謎であった。ニューヨークのみならず、東京でも、茗荷谷の通りで、四階建ての小ビルがやはり最上階から崩壊してくるヴィジョンを見て、再度私はパニックにとらわれた。そのあと殺人事件が起こり、事件後は二度と家屋崩壊のヴィジョンは見なかった——幸いにも！——ことを考えると、これまた、おそらく、事件の《秘密予兆》だったに相違ない。それにしても、他の徴《しるし》であってもよさそうなものを、なぜ摩天楼崩壊というおどろおどろしいヴィジョンでなければならなかったのか。

その理由が分かったのは、それから十年後、「全米同時多発テロ」が起こったときである。ツイン・タワーと呼ばれるニューヨークの世界貿易センタービルにハイジャック機が突っこんで超高層がメルトダウンする光景を見て、思わず、あっと叫んだ。ヴィジョンで見た光景とそっくりだったからだ。

一個の四角柱をその縦の稜線の角度から見ると、稜線によって分かたれた二つの面が同時に目に入る。あのとき私が仰ぎ見たエンパイヤ・ステート・ビルの表面が、それだった。超高層ビルの、縦の稜線で分かれた二面のうち、左側の面の最高層階が巨大な噴煙につつまれ崩壊してきた。そしてそれは、テレビに映し出されたツイン・タワーの北棟の、同じく斜め左向きの面の最高層が大噴煙につつまれて崩壊してくる光景とぴったり重なるものだったのである。

ハイジャック機に最初にやられたのは、ツイン・タワーの手前、北棟のほうである。その地上九十二階から上の最高層部に、二〇〇一年九月十一日の朝八時四十六分、アメリカン航空11便が激突したのだ。続いて、ほぼ十六分後、こんどは、その向こう側に立つ南棟にユナイテッド航空175便が突っこんだ。リアルタイムで送られてくる正面の画像を見て世界中の人々が息を呑んだのは、特に死者千七百名を出した手前の北棟のほうで、その地獄の様相は、私がそれを見て逃げ出したヴィジョンと完全に一致するものだった。では、なぜ、摩天楼崩壊のヴィジョンが「『悪魔の詩』訳者殺人事件」に通じるものといえるのか。

その謎は、どちらもイスラム過激派によるテロ行為なるがゆえにと、いまでは解釈することができる。何物かが、ニューヨークであのヴィジョンを私に送ることで、血塗られた半月刀が現下の日本に迫るとともに十年後のアメリカでも大量殺戮を引きおこそうとしていることを予示した——こう考えられないであろうか。

これまで挙げた幾つもの例で見るように、私の場合、シンクロニシティ現象は一回に留まらず、次々と断続的に続いていく。この断続的放射というイメージから、自分勝手にそれを《元型の放射》、さらには《元型の星座》と名づけてきた。

ちなみに、問題の二事件は、次のごとくその日付が相似的である。

——一九九一年七月十一日、『悪魔の詩』訳者殺人事件

——二〇〇一年九月十一日、全米同時多発テロ

しかも、先に詳述したとおり、『悪魔の詩』訳者殺人事件」そのものが、それより一ヶ月前に起こった「ソ連崩壊」と連なっていたと考えられるのだ。すべては、「未来人類の一大異変」という巨大ヴィジョンの中に連続的に放射されているように見えるのだが、いかがであろうか。

ところで、「放射」があるならば、その中心核があるはずだ。

そういえば、「一九九一年」より十二年もまえに、唐突に私はニューヨークの夢を見たことがあった。手記の「第三巻　流浪篇」で触れたが。

私の西洋との関係はヨーロッパが相手で、アメリカには行ったこともなかっただけに、この夢はよけいに印象深く、そんなことはしたことがないのに、目覚めてノートに小さなデッサンを描き残したほどだった。青鉛筆で、一直線の大地の上に、一本の高い尖塔が立っている。奇妙なのは、尖塔を貫いて空中に三筋の横線がどこまでも走っていることだった。

尖塔の上に私は「New York」と英字で記し、「クリスマスの夜の夢」と記した。

いまから顧みると、マンハッタンでの摩天楼崩壊のヴィジョン、またその十年後のツインタワー崩壊の光景の先取りであったかのように思える。

ただ、このデッサンで興味深いのは、禍々《まがまが》しいものとしてそれが描かれていないことだ。崩壊ではなく、むしろそれを支えるものを表そうとしている。そのことは、図形の下に霊感的に書き添えたこのようなメモに読みとれる。

「天厓と名乗る人物あり。菩薩の位の人のごとし。世界を三たび、（光となりて）行脚す。その跡が三筋の光として世界の地平を覆うさまがみえる。真ん中にニューヨークあり」と。

「天厓」という文字は目覚めぎわに「天涯」に変わったとして、それを漢和大辞典で調べ、「空の果て、または非常に遠いところ」の意だと付記している。

幾多の「元型の放射」を織りあげて私に見せてくれたのは、「天涯」であろうか。

フランスの驚愕と反省

ところで、「一九九一年」をもって日本のノストラダムス像はどの程度修正されたであろうか。

冷戦終結が最大の実証となったはずだが。

さらにその先には《一九九九年七月、恐怖の大王》の謎が残っていたが、これも駄目押しのようにイオネスクは「全欧横断皆既日蝕」として解釈し、このことも時至って実証されるに至った。

しかし、こうした歴史的真実による明証を突きつけられても、なおかつ日本の社会では反省や修正の動きが示されることはなかった。ところが、この点、フランスは違っていた。日本での快挙が伝わるや激震が走り、低俗ノストラダムス・ブームの片棒かつぎをしたことへの反省と読者への謝罪が堂々と表明され、以後、ノストラダムス観は一変されてしまったのである。

果敢なイニシアチブを取ったのは、マリー＝テレーズ・ド・ブロッスという秘教文化の研究家にしてジャーナリストの女性だった。彼女はイオネスクから日本で起こったことの詳細を聴いて、衝撃を受けた。そしてフランスの代表的マガジン『パリ・マッチ』誌――アメリカの『ライフ』に当たる――の巻頭数ページにわたって「ノストラダムス予言の新解釈――一人の大王が到来する」と題する力作レポートを発表したのである。私はイオネスクからそれを送られて読み、背水の陣で臨んだ自分の賭けが本国のフランスでこう評価された以上、もって瞑すべしと思った。

レポートは深刻な懺悔から始まっている。

かつて私はJC・ド・フォンブリュヌの本（日本語版、半村良監修・高田勇訳『新釈ノストラダムス』の著者）が成功を収めるうえにたいへんな提灯持ちをしたことがあったので、（なにしろ冷戦時代のことで、彼の終末論的シナリオは当時の恐怖と幻覚の風潮にぴったりだった）、これにひきかえ、イオネスクの著書をめぐってフランスではむしろ沈黙が保たれたままであったことは、その後、長い間、私に気まずい思いをさせる結果となった。

すなわち、これ以上、黙ったままでいれば不正義に与する結果になりかねない……

この「不正義」とはどんなものかについてブロッス女史は、こういう。

解読と称して実際は何一つ的中しなかったフォンブリュヌの破滅節《ぶし》に乗って、ついつい自分たちジャーナリストは、出版社の気ちがいじみた商業主義を手伝って彼をベストセラー作家にのしあげてしまった。いっぽう、イオネスク解読の正統性を見抜けず、限られた秘教愛好家の書棚にひっそりと眠らせるままできた、と。

ところが、思いがけない筋から不正義は正される結果となったと、記者は声を張りあげる。

この厚く塗りこめられた沈黙を打ち破ったのは、日本だった。一九九一年に、日出づる国ニッポンは、我らがルーマニア人学者の研究に対する熱狂にとりつかれた。凱旋将軍なみの歓迎をもって彼を迎えたのである。

ふつう、この種の関心は底辺からくるものだが、今度ばかりは、いわば、上から来た。それというのも、マルローの友ならびに研究家として知られる竹本忠雄教授からたまたま関心は寄せられたからだ。（しかも、教授の属する筑波大学は、日本のスーパー大学であることに加えて、かのコルドバの国際シンポジウム《科学と意識》を継承して《科学・技術と精神世界》の間に橋を架けた名門であることを特記しなければならない）……

……と、われらの「筑波越え」をも評価してくれている。

このように率直に自らの不明を反省し、正しきを正しいと認めるフランス精神には脱帽ものである。もっとも、ブロッス女史は、「そもそも重症のノストラダムス病とは無縁とみられる国、日本……」とも書いていて、これだけはまったくの誤解であるけれども。彼女のいう「狂乱の商業主義」は、我が国においてもフランスとまったく異なることはなかったのだから。

＊

視ることの重要性を教えてくれたのが、私のノストラダムス体験だった。歴史とかかわることにおいて、それはユニークだった。

フランスには、そのような文化の種があるのだろうか。

在パリ時代、ヴェリエールの館でマルローと、ジャンヌ・ダルクの聞いた「声」について語り合ったことが思いだされる。マルローによれば、オルレアンの乙女の聞いた「天の声」は、歴史家ミシュレがいうような「内心の声」ではなかった。不可思議な何物かの、歴史への介入があったと認めざるをえない。同様に、ノストラダムスが『サンテュリー』を書いた動機も、「ガリア王国に致命的動乱が接近中であること」（弟子シャヴィニの証言）、並びに「未来人類に起こる大異変」（予言集序言）を予知して、これを後代に警告せんがためであった。

「ノストラダムス現象」において最も際立たしいのは、固有名詞の的確指摘のほか、歴史的事件の期日の正確さである。未来の何年何月何日に何某の事件は起こると掌をさすごとくに明確に告げ、一点の曖昧な余地をも残さない。これこそ、彼以外のなんぴともなしえない神業であった。

そもそも一国の王ないし宰相が、国政の舵取りのために占卜師（時には占夢師）を配するのは、古今東西変わることなき倣いである。日本では応仁の乱まで天皇家がそれを司り、以後、山蔭家がその継承者となった。さきごろ八十九歳で帰幽された神道山蔭流の当主、山蔭基央《もとひさ》翁のもとには、歴代首相が週に一回、使者を送って天下の形勢について伺いを立てていた。私は、東京の山陰翁の別社で——貴嶺宮という本宮は愛知県の幸田町に置かれている——時の首相の秘書官に、その朝、望気術をもって透視したばかりの状況をつぶさに翁が告げる様子を襖ごしに傍聴したことがある。「中東の空を視まするに、黄塵が立ちこめておりましたので、イスラム世界はかくかく……」といった具合だった。

ちなみに山蔭翁は、若き日に、フランスの祭祀研究家、ジャン・エルベールに随行して日本の霊地めぐりしたことから、むしろ彼の地で古神道のミスティックとして知られていた。私は、流浪時代に初めてお会いしたところ、そのあと、山蔭神道の後継者になってほしいとの懇切な手紙を頂戴して驚いたことがある。もちろん、自分ごときはその器にあらずと固辞申しあげたが。翁の魅力ある人柄と博識に惹かれて交流を深め、一日、赤坂プリンスホテルでイオネスク博士を紹介させていただいた。イオネスクのほうは、翁から伊勢神宮の式年遷宮の話を聞くや、ただちにその場で、いつも身辺から離すことなき「エフェメリード」（天文歴表）を取り出して計算を始め、諸星の会合周期の上から二十年というスパンがいかに素晴らしい意義ふかきものであるかと、感動を面にあらわして語るのであったが、山蔭師のほうからはついに一言もそれらしき応答のないのにやや奇異の念を抱かされた。

私としては、翁の近著『神道の神秘――古神道の思想と行法』にもとづいて、「霊視」六段階の上から論じてもらいたいところだったが。六段階とは、「妄想」に始まり、カラーで見える「幻想」を経て、「思通」、「観通」、「霊通」、「神通」と順に段階を上がっていく。これによると、私の見た摩天楼崩壊のヴィジョンのごときは、第三位の「思通」に位置するもののようである。そこではヴィジョンは「透明映像」のごとしとされるが、実際にそんな感じであったから。「思通」の的中率は七割以上と、かなり高い。最高の異能者といえども、山蔭翁自身や先代をも含めて、四位の「観通」に達するのが限界とのことで、第五の「霊通」、第六の「神通」ともなれば、そこまで辿り着ける人間はいないと明言しておられる。そうとすると、ノストラダムスのごときはまさにこの神通力の鑑ということになるのではあるまいか。

山蔭基央翁はまた、伊勢の故老たちの間に云い伝えられる二十年ごとの「金の蔵、鉄の蔵」予見にもとづいて未来予測をよく発表しておられたが、それでは大雑把すぎて話にならない。

パリ・マッチ誌のブロッス女史も驚いたように、「ノストラダムスの名誉復興」はルーマニアと日本の連帯で成しとげられたと云いうるかもしれない。本家のフランスがデカダンスに陥って、もはや誰ひとり予言集の真価を理解しえなかったときに——。

どうやら、時代によって、順ぐりに、異なる国の代表の出番があるらしい。フランスは、十九世紀にル・ペルティエが《第一のバビロン》とはフランス革命のことなりと解くことで、その任を果たした。次に二十世紀では、ルーマニアのイオネスクが《第二のバビロン》＝ロシア革命と解くことをもって大金星を挙げた。しかし、その偉業がろくに世に知られずにいたところ、二十世紀後半に日本が登場して、その歴史的実証に貢献する巡り合わせとなった……。

かくいう私は、おそらくその手駒の一つとして使われたのかも——、

ともあれ、超人的幻視者のヴィジョンの中に生きている間に、一つの願望が抑えがたく自分の心中に芽生えてきた。それは、そのような超人を形成した幻のオルヴァル僧院に行ってみたいということだった。そこには、イオネスクさえも行っていないし、他の

誰かが行ったという噂話を聞いたこともない。奇妙な欠落ではなかろうか……

と同時に、もう一つのミステリーが絡まっていると感じはじめていた。ルイ十六世とマリー・アントワネットが、かのヴァレンヌで捕まったとき、その目ざしていた先が、ベルギー国境内のこのオルヴァル僧院だったという事実である。『サンテュリー』中の有名な「ヴァレンヌの詩」は、こう予告していたのだ。

夜半に来るであろう（……）
黒き僧は、灰色の姿で、ヴァレンヌの中へと。

道士ノストラダムスは、自らの修行の場であるオルヴァル僧院から、二百三十四年後を見透して、王夫妻の馬車がパリから長駆して、そこを目ざし、一散に駆けてくる光景を見透して、《ヴァレンヌの中へ》と書いていたのである。

私のノストラダムス学は、この《ヴァレンヌ》の一語に惹かれることから始まった。いま、《オルヴァル》がこれに加わる。《ヴァレンヌからオルヴァルへ》——このコースの間に、何か秘密が隠されているのではなかろうか。

それに、と思った。

若きノストラダムスが幻視力を培ったオルヴァル僧院は、幻視体験を重んずる東方教会（ギリシア正教）の西漸ルートの上に建てられた。他方、世界に広がり、日本にも伝わったキリスト教の大半は、ローマ公教会を中心とする西方教会のほうであって、これは「ロゴス」を基調としていた。われわれは従って、見えない世界からの顕現を視る東方系の源泉に対してはほとんど無知できたということになる。ルルドでベルナデットの視た聖母が、ラファエロが描いたようなそれではなくて、東方教会のイコンの姿そっくりだったことの意味は、もっと考えられて然るべきではなかろうか。ピカソでさえ、この問題に大ショックを受けたのだから……

こうして、幻の古道が、東から西へと、矢印のように、いつしか私の心ふかくに引かれていった。みんな、頭で考えるばかりで、時をこえる異空間の道に入ろうとしない。わが敬愛おくあたわざるフランスの文豪、アレクサンドル・デュマにしても、さすがに好奇心旺盛で、ヴァレンヌにまで赴いて『ヴァレンヌへの逃走』という素晴らしい探索紀行を書いたが、オルヴァルまでは足を伸ばしていない。若き放浪の医師、ミシェル・ド・ノートルダムを、人類史上唯一のタイム・トラベラーに変貌せしめた幻のオルヴァル僧院跡に立てば、自ずと無明の徒にも見えてくる何物かがありはしなかろうか。

象牙の塔よ、さらば——。

わが道はますますアカデミズムから離れるいっぽうだ。「筑波越え」の同志とも完全に切れた。幽光の滲む闇の奥の秘地へと、停年までの残り四年間の時間が急速に圧縮されていくのを感じていた。

第二章　ヴァレンヌの道

オルヴァル僧院の廃墟

ここが、オルヴァルか……

一望累々たる瓦礫の広がりのみ。

これでは誰も足を運ばないはずだ。破壊しつくされ、焼きつくされ、黒焦げの壁面だけが残って高々と突っ立った、こんな僻地の廃墟にまで——。

多年、わが好奇心を掻き立ててきたミステリーの中心、オルヴァル僧院とは、これなのか……

破壊されたとは聞いていたが、まさかこんなとは。

真夏の落日に照らされて、巨大な遺構全体が朦朧と燃え立っている。

何にも残っていない——この場のほかは。

だが、その昔、一人の求道者がここに来たり、修行し、非時間の世界の奥へと分け入った、それだけは確かなことだ。

芭蕉が奥の細道の旅で「殺生石」の力いまだ衰えずと見たように、何らかの幻視力、いまだここに失われずにあるのだろうか。

もし失われずにあるならば、遠来の旅人われに、それを見せよ……

一九九六年六月七日。

大学を定年で退いた翌年、ついに意を決してここまでやってきた。あの「一九九一年」から五年経っている。

何物かに押し出されるかのように日本から到来したが、道中の難路そのものが試練だった。元来、不注意な性分とはいえ、盛夏、欧州では持病の花粉アレルギーが最悪となることをすっかり忘れていたとは……

オルヴァルは、ベルギーのフランス国境近くに位置する。パリから行けば何でもないものを、わざわざアムステルダム経由の長路で行ったものだから、道中が拷問となった。というのは、驚いたことに、盛夏なのに汽車《いいい》――としか呼びようがない――は冷房がなく、窓という窓を開け放しているものだから、何の花粉か、まるで吹雪のように真っ白いのが一斉に車内に流れ入り、くるくる渦を巻いている有様なのだ。ために、往年のパリ生活で罹ったアレルギー症がぶりかえし、どえらい発作を引き起こしてしまった。半日がかりで、ブリュッセル経由でリブラモンというところまで行き着く間中、目は涙を出しっぱなし、ハンカチーフで鼻孔を押さえて辛うじて口で息をする始末だった。

これは一種の通過儀礼なのだと受けとって我慢した。無償《ただ》で秘義伝授が行われると考えたとしたら、虫がよすぎるであろう。

そんな思いまでして大迂回したのは、前日にアムステルダム美術館でフェルメールの大回顧展を見たい一心からだった。全作品が一堂に会して一遍に見られる機会など、二度とあるまい。二十二年前、オランダ滞在中にレンブラントとフェルメールを見たことが、そもそも自分にとってのヨーロッパの神秘への入門となった。あのとき、出光コレクションの仙厓展に随行して松見守道とともに滞在した保養地、シュリーフニンゲンは、どうなったか、それも見たかった。私共のアドバイスで日本料理店を開いた「ゴッホ爺さん」こと、ピータースは健在だろうか。

ノスタルジアに胸を熱くして、夕景に赴いたが、幻滅だった。かつて三ヶ月間逗留したヨーロッパ・ホテルは健在だったが、二人でせっせと日参した遠東酒家は、見知らぬインド料理屋に様変わりしていた。誰もピータースの名さえ知らない。思い出とは、人あってのこと。みだりに懐郷の情だけで動くべきではないと反省したが、時すでに遅し。

悄然と、ホテルの裏手の海岸に出たところで、この目を疑った。闇黒の夜の荒海に挑戦するかのごとく、皓々と海面《うなも》を照らして、一夜にして不夜城が現出したかのごとくであった。

かつては、どどん、どどんと大浪のうねる北海に面して、人気《ひとけ》も疎らだった浜辺が、ど派手なイルミネーションに縁取られた大歓楽街に一変していた。暗い波音を掻き消して、耳をつんざくスピーカーの大音響のなか、海岸線いっぱいに原色をぶちまけたように観光客が溢れ、踊ったり絡み合ったり、ヒエロニムス・ボスの「歓楽の苑」さながらの乱痴気騒ぎを繰り広げているのだった。

松見さん、何もかも変わってしまいましたよ……

ふた昔まえ、オランダの古い風景画のような、乏しい海景を、日々私たちは眺め暮らしていたのでしたね。見るものといっては、殺風景な海岸に点々と撒き散らされた、奇怪なゴンドラのような格好の、日光浴用の籠ばかりで。

死に臨んで、そして、松見さん、あなたは語ってくださった。「ゴッホの絵のような」三色の夕焼け空を、どこまでも飛んでいくと、空中にあの「クーハウスの籠」のようなものが幾つもぶらさがっている。それらが、その傍を掠め飛んでいくと、つぎつぎと、ぱあっと光を発するのだ、と……

見回しても、そんな籠らしきものは、もうどこにも転がっていはしない。

しかし、きっと、そのような虚ろ舟が、どこか、生と死のはざまで、時を分かたず飛びつづけているのに相違ない。

仏語領ベルギーのリブラモンで汽車を降りて、ハイヤーを雇った。

車はアルデンヌ地方の美しい丘陵地帯を駆け抜けていく。いやに回りが白っぽい。真っ白な牛が、緑のうねりの中に一面に散らばっている。と思うと、行けども行けども尽きない白い墓標地帯があった。第一次大戦の「ヴェルダンの要塞」の戦跡を走っているのだった。

ハンドルを握っている運転手は女性で、どう見ても、「サザエさん」のマンガに出てくるような、ひっつめ髪の、銀髪の婆さんだ。そこで、よせばいいのに口が滑った。

「前大戦のときは、あなたはお幾つでしたか」

半ば振り返って眼鏡を光らせ、ぴしりと云われた。

「わたしゃ、まだ生まれていなかっただよ!」

こうしてその日の夕刻、オルヴァルに着いたのだった。

広大な森を抜けると、まっすぐ突き伸びる広い道路のかなた、真向かいに、忽然と壮麗な建築物が姿を現した。道の右かたには、これが「オル-ヴァル=金渓」の名の由来か、いまでは流れも見えぬ青々とした渓谷が延々と続いている。

いぶかしい思いで車を降りた。

廃墟と聞いていたのに、これはまた、どうしたことであろう。きのう建ったかと思われるばかりの大僧院が、鶴翼のように左右に低い白壁を広げ、それが、震える湿地帯の夕光を反射して、いまにも羽ばたきそうにゆらめいているのだった。

「これが、アベーユ・ドルヴァル（オルヴァル僧院）じゃよ……」

不審な面持ちの客の様子を見て、魔法使いの婆さん――おっと、また失礼！――のようなしゃがれ声が後ろから絡みつく。

違う、何かの間違いだ、こんな新築のはずがない。オルヴァル聖母大修道院は、十二世紀の古刹で、フランス革命軍によって徹底的に破壊されたと聞いている。

五時、晩鐘が鳴る。と、折しも、斜め左手の鉄柵から、ガイドブック片手に、どやどやと観光客の一団が出てきた。観光バスが止まっているところをみると、新僧院観光のツアーが組まれているらしい。いよいよもって、これは場所を間違えたな……こう思って、観光団の頭ごしに、奥へ、左へと視線をずらしていくと、戦慄した。まるで回り舞台のように、平たい輝かしい新建築に接して、左手に、朦朧と、旧僧院の廃墟が姿を現してきたのだ。

そうか、廃墟をそのまま保存して、新旧対照的にプレゼンしているのか。そんなことは誰からも聞いていなかった。来てみなければわからないものだ。

観光客の出ていったあとの門を、じっと視つめた。

その内側に入りたい、その一心で、日本からはるばるやってきた。奇《く》びの力は、まだそこではたらいているだろうか。それを身に帯びたことにより、かの人が未来を洞見したような——。

山門を出づれば見ゆる明日の星

へぼな俳句まがいが、口をついて出る。

そんな星を、俺も見られたなら……

明朝の探索を期して、近傍の宿へと向かった。


謎の踏み石に立つと……


これほどカルマの重圧を感じさせる場所もない。

その朝、二台の観光バスから吐き出された人々が揃って新僧院に出かけたあと、たったひとり、旧僧院の廃墟のかたへと向かいながら、そう呟いた。

西洋建築は石造りだから、誰しも記念建造物の前で過去の時代の積層を感じさせられるが、ここでは、失われた空間と焼けただれた残骸が、一瞥、怨念と悪業の畳《たた》なわりを訴えかけてくる。

ベルギー最大のロマネスク様式の大聖堂として讃えられた往古を偲ばせるようなものは、一物も残っていない。もはやここは一個の巨大な残骸でしかない。そこかしこ、焼け残って高々と突っ立つ壁と柱が、さながら未知の恐竜の背びれのように突兀《とっこつ》と連なって、いまなお悪業の記憶に身をよじらせ、呪いの咆哮を上げているかのようだ。

うぉうと、実際に、そのとき、軋むような叫びが聞こえてきた。

入口で貰った一枚の栞だけが頼りで、まったくの無人境の遺構に近寄る私の耳朶を打って、たしかに、いま、何かが吠えた。と思いきや、それは、鐘楼の下がぽっかりと抉られ、その外側の沼地から暗渠《あんきょ》を伝って吹き入る風の音だった。かつてはその暗渠から僧院内に水を引きこみ、幾つもの水車を回らせていたらしい。ずらり並んだ工房で職人たちに種々の手仕事をさせて。

またも、うぉうと吠える。

破壊をまぬがれてそそりたつ壁面は、どれも、火炎放射器で薙いだように黒々と炎の跡が焼きつけられ、中には渦を巻いて不気味な現代アートと化したものもある。全体から滲み出てくる感情は、怨念と憎悪、これだ。

ここまで自分を引きつけてきたミステリーは、本当に、炎上とともに完全に消し飛んでしまったのだろうか。これらの残骸の下に何が残っているというのだろう。草ぼうぼうの前庭から、大聖堂の翼堂左手の入口へと近づきながら、長いカルマの迷路を自分はいままさに辿ろうとしているのだと思った。


自分にとって最大の謎は、人類史上唯一のタイム・トラベラーとも云いうる幻視者ノストラダムスを育てたオルヴァル僧院とは、いかなる場か、ということだった。

この好奇心には、さらにその元があった。

《ヴァレンヌ》である。

ノストラダムスなど眉つばものだというどんなフランス人でも、この一語を聞けば黙るほかない——そのように秘教学者セルジュ・ユタンから聞かされたことが、私にとっては予言集『サンテュリー』を読むきっかけだった。たしかにそこには、ルイ十六世夫妻が逃走中にヴァレンヌで捕縛され、断頭台への道をたどるという運命が、二篇の四行詩によってこの上なくリアルに予告されていた。

ところが、亡命をはかる王夫妻の馬車が目ざしていた目的地がオルヴァル僧院だったと知って、私の好奇心は倍加したのである。ヴァレンヌからオルヴァルへ――その距離、わずか七十キロにすぎない。四頭立て豪華馬車《ベルリーヌ》で、革命軍の追っ手を逃れて、この僧院めがけて、国王一家六人が必死に逃げてくる未来の光景を、若き求道者ミシェル・ド・ノートルダムは手に取るごとく視ていたのであろうか――。ここ、オルヴァル僧院から。十六世紀半ばの時点から、約二百三十年後に起こるであろう事件のことごとくを、である。

偶然の的中といえば、これ以上の偶然はあるまい。しかし、そう云って済ませるには、予言詩の表現はあまりにも生々しい。

《夜半に来るであろう……二組の旅人は……ヴァレンヌの中へ》

と、目前に見るかのごとくである。

「二組」とは、コレージュ・ド・フランスのポール・デュメジル教授の名解読によれば、王一家と、マリー・アントワネットの愛人、フェルセン伯爵を示すものにほかならない。恋する二人の名を「溶接した」モノグラムで暗示している、と。

「ヴァレンヌへの逃走」は、世界史の転回点となった重大事件で、われわれが学んだ西洋史の教科書にも出てくる。しかし、どのテキストにも、「ヴァレンヌに向かう」といった表現をしたものばかりで、「来る」と書いたものはない。オルヴァル僧院から見てこそ、「来る」、と云いえたのではなかろうか。

こうして私の中で、ヴァレンヌに対する好奇心は、オルヴァル僧院に対する好奇心と重なっていった。なぜこのつながりが世の探索者の視野に入らないのか、不思議にさえ思われた。

オルヴァル僧院が国王一家を迎え入れようとしたことに対する、フランス共和国政府の憎悪は凄まじかった。なにしろ、オーストリア皇帝レオポルド二世は、この僧院に軍隊を繰りだして待ち受けていたのだから。愛する妹マリー・アントワネットとその夫を迎えて亡命をエスコートすべく、武具を鳴らして――。壮麗な大僧院は、夜っぴて明々《あかあか》と篝火を焚き、疲れきって到着するであろう一家のために、夜食《スーペー》まで用意されていた。王の先遣隊も、すでに到着していた。もう一歩で亡命は成功だったのだ。逃亡劇を伝える作家たちが――アレクサンドル・デュマをはじめ――筆をそろえて、「そうなれば人類史は変わっていただろう」と書き立てたのも、尤もである。それだけに、僧院側がそのお膳立てに協力したことは、フランス新政府にとってはなおのこと許しがたき行為だった。かくては、翌々年、一七九三年に、革命軍を派遣して、徹底的復讐をやってのけたのだった。

破壊、略奪、そして放火である。

その爪痕が、それから二百三年も経った一九九六年のいまなお、かくも無惨に留められているのだと、遺構の中心部へと歩を進めながら私は思った。そして胸に呟いた。

明らかに、ここには、王の処刑への運命の跡が刻まれている、と。

だが、それだけを見たのでは、うわべの、第一のカルマを見たにすぎないことに、そのときの私はまだ気づいていなかった。

それは、より古い、別のあるカルマの結果であり、そこにフランス精神史の宿命ともいうべき流れが顕れているということに。


王を葬ったのは、王自身だった、ということである。

それは、歴史教科書が教えるような「圧政」のためだけではない。原因——因縁——は、ずっと深い。そのことを、廃墟の中心へと歩み入りながら、いままさに私は思い知らされようとしていた。

教会、回廊、図書館の三ヶ所が連なって中心部を構成している。

教会は、中世ロマネスク様式の特徴である重い厚い石組みに守られて、そのおかげで一部は破壊しくされずに残っている。立ち並ぶ円柱と壁面が、崩落した穹窿《ネフ》のかわりに支えているのだった——青空を。

堂内を一巡して、後陣へと回る。

と、その右手の一隅に、そこだけ、幅一、三尺の長方形の石が床から盛りあがっているのが目についた。手にした案内図をみると、「図解17」のポイントにこう記されている。

「ここに、共同寝室《ドルトワール》を直接に教会へとむすぶ階段があった。これは残されたその一段目である」

若き修道僧、ミシェル・ド・ノートルダムも、その共同寝室で寝起きしていたのだろうか。

が、そこは、焼け落ちて跡形もない。残るは、この直方体のみ。

石の上に立ってみた。修道士ミシェルもおそらく日夜踏んで上り下りしたであろう階段の、たった一つ残された最下段の上に。

目を上げると、真っ正面に、高々と、ロザス（薔薇型窓）が見える。

ロザスは、半円形に上部を縁取られた壁面の上部に、古拙な紋様を刻んでいる。溶け落ちた玻璃絵窓《ステンドグラス》にかわって、外部の樹木の緑がマチス模様のようにけざやかに空洞を満たしている。天井もなく、呪いの炎によって四壁をどす黒く斑《はだら》に染められたなか、ロザスだけは、本来の、別世界からの光の導入による荘厳《しょうごん》の役割を変わらずに果たしているのだった。

大勢の修道僧にまじってミシェル・ド・ノートルダムも、共同寝室からこの石を踏んで教会に降り立つたびに、ロザスを見上げて跪き、十字を切ったことであろう。シトー修道会は、キリスト教密教である。わけても、夜半の勤行の神秘性はいかばかりであったことか……

石上に、しばし留まった。

祭壇に近い合唱席のあたりから、女性ソプラノのような音が、幽かに幽かに聞こえてくる。青天井から落ちる陽射しが翳り、日蝕のときのように回りが暗くなってきた。いつしか灯明が点り、その灯影が揺らぎ、左手の柱頭の中程に、壁から突き出た聖母の半身像が、毀たれたままの姿をゆるやかに薄明に浮かびあがらせると見るまに、コーラスは徐々に高まっていく。その声は、合唱席に朦朧とうごめく一団から昇るようで、気がつくと、堂内は僧形の影で満たされていた。高音は、合唱団と、これらの僧たちの間でやりとりされながら、堂内に木霊しつつ広がっていく。晩禱のグレゴリオ聖歌だった。

ミシェル・ド・ノートルダムは、影たちのどこかに紛れているらしい。

思わず知らず、夢遊病者のように両手を差し伸べて踏み石から降り、一歩、二歩、前に踏みだすや、幻影は消え、私は燦々たる真夏の陽射しの中に立っていた。

教会から出て、中庭に添った回廊跡を歩いていく。

職人たちの工房の残骸がずらりと並んでいる。

彼の幻視の秘法をつちかったとされる錬金術も、ここのどこかで伝えられていたのだろうか。

工房の一つの跡地に立って、荒れ放題の矩形の中庭を見渡した。ある日、風のごとく来たりて棲みついた彼の人の、ここで過ごした日々は、どんなだったであろうか。

只の隠士ではなかった。

当時としては極めて稀な医学博士の学位を取り、南仏一帯で猖獗をきわめたペストから独自の先進的医学知識を駆使して多くの人命を救助し、赫々たる名声を挙げながらも、皮肉にも自らの妻子をこの業病で攫《さら》われ、自分の骨肉も救えないようではと、一転して世間から白眼視された。かくて地位も財産もかなぐりすてて、漂泊の身となる。つとに秘教研究にいそしんでいたが、人智をこえる叡智をもとめて諸国回遊の旅に出て、オルヴァル入りしたのが一五四二、三年のことだった。

わかっているのはそこまでである。何が、ここで、科学者ノートルダムを幻視者ノストラダムスに変身させたかについては、一片の資料も残されていない。再婚して、予言集『サンテュリー』を出版し、突如、彗星のごとくその名がフランス王国に響いたのは、オルヴァル入りから十五年も後のことである。

偉大な求道者の伝説において、成道《じょうどう》の内風景は容易には窺い知られないのが常であるが、ノストラダムスの場合も例外ではない。肝心な「第三の眼」がいかに形成されたかについては、ヴライク・イオネスクを除いて、ほとんど誰も追求したことがなかった。いまや観光名所となった南仏サロン市の予言者の終の棲家のほうは、みんな見に行くが、空々漠々たる北欧のオルヴァル僧院の廃墟にまで足をはこぶ数奇者はいない。が、なぜか、自分の場合は、この何もないところに何かがあると直観して、はるばるとやってきた。

たしかに、何もない。が、本当にそうだろうか。

「霊性は大地とむすびついている」と喝破した我が師、鈴木大拙の言葉が思いだされる。では、ここの場とは？　大地とは？

指揮台に立ったオーケストラ指揮者にとってのみ見える世界があるように、ついさっき、踏み石の上に立ったとき、声が聞こえ、影が動いた。だが、それは、幻想にすぎなかったであろう。ただ、一つの真実を除いて。空耳であろうとも、聞こえてきたのは聖母讃歌だったということである。この土地そのものが聖母マリアに奉献され、寺院の正規呼称は「オルヴァル聖母大修道院」であることが改めて顧みられる。

ミシェル・ド・ノートルダムの「ノートルダム」とは、いうまでもなく「聖母」である。これをラテン語風に読み替えて、雅号「ノストラダムス」を名乗った。

だが、いかなる聖母なのか。

東方より来たれるマリアである。

この東方ということが、しばしば忘れられている。ベツレヘムに向かって、三賢王も東より来た。

オルヴァル僧院は東方教会の影響下に建てられた。ということは、顕れきたるものを幻視する信仰の上に成り立っているということにほかならぬ。ノストラダムスは、その幻視の伝統を慕ってここに漂着し、それを大成せしめた。

とともに、一世に名高い、ここの大図書館で学ぶために。

その図書館跡が、ほら、この回廊の先にある。

胸が躍る……。若き遍歴の求道者が感じたであろうように。

そこへ入ることは、寺院創建時代、十二世紀、当時のヨーロッパ世界で最大だった最古よりの秘伝文書の宝庫、世界の秘密の夢の中に入ることにほかならなかった。

騎士道炎上

空虚が喪失の偉大さを語るのは歴史的廃墟の常ながら、ここはまたひとしおと、あたりを見回した。

かなり細長い、ゆったりとした矩形空間ではある。

若き修道士ミシェル・ド・ノートルダムがここの図書館に通ったころは、四壁は一万五千冊の典籍で埋めつくされていた。オリエント世界、ことにエジプトから将来された古代の筆稿本から、活版技術発明当初の出版物に至るまで、秘伝世界研究の稀覯本《きこうぼん》が、当時はまだそんなにも豊富に残されていた。

といっても、それさえも、それより約四百年前の、僧院創建当初の蔵書の汗牛充棟ぶりと比べれば、ほんの一部にしかすぎなかったが。

しかも、その残された一部をも吹きさらったのが、のちの、一七九三年の、あのフランス革命軍による徹底破壊だったのである。

つまり、四百八十年間に、二度にわたってオルヴァル僧院は徹底的ヴァンダリスム(文化破壊)を蒙ったことになる。ミシェル・ド・ノートルダムが僧院に起居したのは、その二度の災厄のちょうど中間の時期にあたっていた。

最初の悲劇は、彼の在住より約二百三十年前、一三一四年に起こった。当時、オルヴァル僧院は、神殿騎士団（タンプリエー）の最重要拠点の一つだった。騎士団の途方もない財宝目当てに、その全所領没収をたくらんだフランス国王フィリップ四世によって国中の城塞僧院のことごとくが略奪され、騎士団団長ジャック・ド・モレーは火刑に処された。それでも一万五千冊が僧兵たちによって死守されたことは、後筆の道士ミシェルにとって非常な幸運とすべきことだった。

ちなみに、人類史は、幾つもの巨大図書館の炎上を見てきている。古代世界において最後最大といわれた、アレクサンドロス大王によって建設されたアレクサンドリア市の伝説的図書館——七十万冊を蔵した——が、紀元前三世紀のエジプトの空を染めて延々と燃えつづけ、ついに最後の一冊が灰になったあと、紀元後のヨーロッパ最大の図書館の一つとして謳われたのがオルヴァル僧院のそれであった。特に、イスラムを含む東方世界の知の宝庫としては他の追随を許さなかった。その由来は、僧院の縁起と深くかかわっていた。

オルヴァル僧院は、イタリアの戦火を逃れてベルギーに移住してきたローマのトレ・フォンタネ寺院の僧侶たちによって、一一三一年に創建されたのが起源である。「トレ・フォンタネ」とは「三つの泉」との意味だから、日本風に「三泉寺」とでも呼んでおきたい。南ローマの、その地は、もともと、聖パウロの殉教地として知られていた。聖人が斬首されたとき、その首が転げて三回バウンドし、そのあと、三つの泉が湧き出して多くの奇瑞をもたらしたという。

ローマの「三泉寺」は、聖母顕現地としていまなお名高い。奇蹟は絶えることなく続いている。私も、オルヴァル行の翌年、聖母顕現地めぐりをした折に訪ねたが——次の第七巻で触れるであろう——、霊癒をさずかった人々が、もはや不要となった松葉杖や車椅子を寄進し、それらが洞窟内の天井にびっしり吊り下げられている光景を見て非常な感銘を受けた。

この「三泉寺」から聖母を勧請《かんじょう》してベルギーのアルデンヌ地方に祀ったのが、オルヴァル聖母大修道院の縁起にほかならない。

同僧院の東方との縁は、実際はさらに深い。「東西教会の大分裂」、並びに、神殿騎士団の存在にかかわっていたからである。

あたりに降りそそぐ蟬しぐれと、時おり暗渠を吹き抜ける風の咆哮のほか、しわぶきひとつ聞こえない廃墟の上に、午後の陽がゆっくりと傾いていく。八重むぐらに覆われた石畳の上に、ぽつんと一個の石塊が転がっている。私はそこに腰を下ろして考えつづけた。

「東西教会の大分裂」について、最晩年のマルローが洩らした言葉が甦ってくる。あのような霊的大事件は、もっと真剣に考えられてしかるべきだよと、ヴェリエールの館で、溜息をつくように彼は私に云ったものだった。「大分裂《シスモ》」がいかなるものであったか、関係文献をいくら読んでもわからない、なるほどそれらは、この歴史的大事件がどのように起こったかについては詳細に教えてくれるが、その本質がいかなるものであったかについては、さっぱりだ――と天下の大知識マルローでさえも嘆くのだった。もっとも、実際にはマルローは、そのように外に向かって言問うときには、必ず既に自ら解答を見いだしているのが常であったから、額面どおりに呟きを受けとってはなるまいが。

彼はきっと、こう云おうとしたに違いない。君たち、次文明に生きる若者にとって、これは宿題だよ、と。

その宿題を解くべき時が来たのだと、自分に言い聞かせる。

そのために、考古学者が遺跡を発掘するように、俺はいま、この廃墟を探っている。

大予言者の影を追ってここまで来たが、その先にはヨーロッパ文明の深い亀裂が横たわっているらしい。さっきの礼拝堂についで、ここ、巨大図書館の廃墟の奥から、その匂いが立ちこめてくる。

そういえば——と、瞑想を続けた。

「東西教会の大分裂」が決定的となったのは、オルヴァル僧院創建に先立つ僅か七十七年前、一〇五四年のことだった。

「大分裂」の結果、イタリア中の東方教会の大半が徐々に西方のカトリック世界へと移ってきた。「三泉寺」は、その一つだった。ローマ「三泉寺」の僧侶たちがベルギーのアルデンヌの森に移住して、そこに建てたのがオルヴァル僧院だ。

見過ごしてならないのは、かくしてロゴス主体の西方教会に対して、ヴィジョン主体の東方教会の影響が広がっていったという事実である。

その中枢的役割を果たしたここの僧院で、ミシェル・ド・ノートルダムは希代の幻視者となる必然の運命のもとにあった。

まさに、文化は西進す、である。

東方教会の西進と拡散に決定的に貢献したのが、中世キリスト教世界きっての高僧、聖ベルナールだった。さらにいえば、その後ろ楯によって絶大の権力を得た神殿騎士団である。

オルヴァル僧院は神殿騎士団の根拠地となり、三百もの荘園を有する一大勢力へと発展する。そしてこの成功の陰に、終始一貫、さながら忍者の集団のごとく活躍した前述のローマ「三泉寺」の僧侶たちがあった。

そういえば、さっき、山門を入って僧院の廃墟に近づいたときに、「マチルドの泉」という小さな泉水があったなと、思いだした。掲示板にはこう由来が説明されていた。

「むかし、トスカナ公爵夫人マチルド、夫君ブイヨン公を失ひてまもなく、この泉のほとりに来たれり。誤って指輪を水中に落とす。傍らの礼拝堂に篭もりて祈りしあと、一匹の魚が指輪を咥《くは》へえて現れたり。夫人、歓喜して曰く。まことにこれ、オル-ヴァル(金渓)なり、と」

イタリアの戦火を逃れてアルデンヌ地方に移住してきた「三泉寺」の僧侶たちに湿地帯をあたえて住まわせたのは、この貴婦人《ダーム》である。

ところが、ある日、忽然として、これらの坊さんたちは姿を消す。ストーリーは、ここから大転回をとげる……

聖地エルサレムがセルジュク・トルコに占領されたことから、一〇九六年に第一回十字軍が編成されたとき、その総司令官として先頭に立ったのが、右の公爵夫人の甥、ゴドフロワ・ド・ブイヨン侯だったのである。死闘三年ののち、ついにパレスチナとエルサレムを制覇したときには、当初二十万を数えた全欧連合軍は生存者わずか五万に減っていた。シャルルマーニュ大帝の末裔にして武勲第一のブイヨン侯は全軍一致で「エルサレム王」に推挙された。しかし、侯は、「キリストが茨の冠をかぶせられた土地において、金冠を戴くこと潔しとせず」として、王を名乗ることを固辞したという。

ともあれ、「エルサレム王国」は、青史の伝えるごとく、一〇九九年七月十四日に建国された。ちなみに、「七月十四日」は、フランス精神史においてはずっとこの建国記念日を意味してきたものであって、バスチーユ攻撃に端を発する共和国誕生記念——「パリ祭」——を意味するようになったのは、はるか後世のことにすぎない。

ブイヨン侯は、シオン山に僧院を建て、そこに*「シオン宗団」を設置するが、「三泉寺」衆はこれにもかかわっている。侯の歿後、最重要の二つの騎士団——介護騎士団と神殿騎士団が、相継いで設立される。このうち、伝説的なエルサレムの「ソロモンの神殿」中に本拠を置いたことに由来する「神殿騎士団」は、聖ベルナールのシトー修道会の傘下に入ったことにより、キリスト教世界最大の勢力へと発展していった。

＊この「シオン宗団」を元に、七十年後に秘密結社「シオン修道会」が生まれた。その第十二代総長がレオナルド・ダ・ヴィンチだった事実を踏まえてダン・ブラウンの『ダ・ヴィンチ・コード』が書かれ、大変なセンセーションを呼ぶこととなる。ちなみに、第十五代総長は「ミシェル・ド・ノートルダム」その人であることは拙著『ノストラダムス・コード』で紹介した。

歴史と霊性は、まことに玄妙な絡み合いの関係にある……と、ここまで想起して私は吐息とともに立ちあがった。ふたたび、朋れた矩形空間を回りはじめる。ふと、思う――キリスト紀元後一千年間の西洋史の本当の主役は、マリアだったのではなかろうか。

松見守道と美術行脚を重ねたころ、意味不明の聖芸術に至るところで出喰わしてわれわれは面食らったが、こんな絵もその一つだった。片肌を脱いだ女性が乳房を突き出し、そこから泉のようにほとばしる乳を、その前に跪いた一人の騎士が恭しく口に受けている……。

それが聖ベルナールだとわかったのは、だいぶのちのことである。熱烈な聖母崇拝者で、「アヴェ・マリア・ステラ」を誦頌中に顕現を視たのみならず、その乳を「三滴」授かる奇蹟に浴したという。

ローマ時代から「神母」として盛んとなった聖母崇拝は、エジプトの女神イシス信仰とむすびついて、よりユニヴァーサルな性質のものとなっていった。宇宙的、とさえ云えるような。十字架上のイエスが母マリアを託したのが、愛弟子のヨハネであったことから、神殿騎士団は聖ヨハネを守護聖人として崇め、ここから確たる東方系密教の伝達者たるの使命を果たすに至った。

一一二八年、聖ベルナールによって神殿騎士団が公認され、同時に厳正きわまりない「騎士道典範」——八百箇条をこえる——が制定されたことから、聖母信仰は騎士道と不二一体のものとなった。

長剣を帯び、白マントをまとった僧兵の群れが、この大僧院にひしめく光景は、どんなにか壮観であったことだろう。ひるがえるマントの上にも、上着にも、大きな赤十字のマークが、くっきりと浮きでていた。教会での礼拝は、ギリシア正教の典礼に従って密々に行われた。彼らの愛は第一番に聖母にささげられ、彼らの世界観は「ヨハネ黙示録」の共有の上に成り立っていた。

人も、文明も、しかし、物を失うことによってではなく、夢を失うことによって亡びを運命づけられる。西洋文明全体が、咲き出た一輪の薔薇の蕚《うてな》の上に旋回するかのごとき時代は、長くは続かなかった。ここでも私は、マルローの言葉を思いださずにいられない。騎士道は「百八十年間しか」続かなかったという、あの言葉である。「甘く見て」とさえ云った。また、それに比べて武士道はなぜそんなに長く続いたのか、とも問いつづけた。最初、私は、そう聞いたとき、「甘く見て」どころか、ずいぶん厳しい見かただだと驚いた。だが、いまでは、それがよく分かる。「百八十年間」とは、武勲詩「ギヨームの歌」が書かれた一〇九九年から聖王ルイの死の一二七〇年までだとマルローは云った。一〇九九年とは、右に見たとおり、エルサレム王国創建の年──「七月十四日」……──にも当たっているのだ。そのときから、聖ベルナールによる神殿騎士団の公認と「騎士道典範」制定を経て、最終回（第八回）十字軍の指揮者、聖王ルイが遠征途上に亡くなった一二七〇年までの、わずか「百八十年間」が騎士道の存続期間だったというのである。

しかし、なぜ、聖王ルイの死をもって騎士道の終わりとするか。

甲冑を着た騎士たちは残ったが、信仰と武勇の不二一体としての騎士道は失われたからである。なぜ失われたか。

フィリップ四世（聖王ルイの孫）によって神殿騎士団の全所領と財産は没収され、のみならず、騎士団員二万人の抹殺が行われたからである。「近代化」で説明する歴史家もいる。が、王自身によって最忠実の騎士全員を葬った事実に変わりはない。

一三一四年、パリのノートルダム大聖堂まえ、セーヌ川の砂州に薪を積み、そこに騎士団長ジャック・ド・モレーをくくりつけて火を放ち、バルコニーで笑いさんざめく廷臣らとともに国王がこれを見物したことをもって、騎士道は炎上した。

オルヴァル僧院も、僧兵がことごとく投獄、拷問死せしめられたことで、栄光の幕を閉じたのであった……


それからおよそ二百三十年後、ミシェル・ド・ノートルダムが、ほとほとと、ここの山門を叩いたとき、この放浪の道士が失われたガリア王国の夢の継承者になると信じた者は、いなかった。

神殿騎士団を葬った王の子孫、ルイ十六世が、騎士団の牙城、オルヴァル僧院へ救いをもとめて駆けこもうとする姿を、さらに二百五十年先の未来にノストラダムスは幻視した。おそらく、ここ、僧院の、どこか一画から。

永久に、王の一家は、ここに辿り着けないであろう。「ヴァレンヌ」で留められるがゆえに。運命は、代わって、その先祖が同じく簒奪した騎士団のパリ根拠地、「タンプルの塔」へと一家四人を閉じこめ、そこからギロチン台上へと引っ立てるに至る。

オルヴァル僧院へと向かう馬車が、ヴァレンヌで反転して、「タンプルの塔」へと向かった因縁のストーリーを詳細に予告したのが、一世の名詩二篇、「ヴァレンヌの詩」と「裏切者の詩」である。

ただし、それらは、凱歌を奏する恐怖政治の遂行者たちの「進歩」を謳ったものではなかった。「神聖との契りの切断」を嘆く挽歌だったのである。

陽が翳っていく。

蟬しぐれも、はたと止んだ。

畏友、五十嵐一君が殉難者となる命日をも予言した超天才との奇妙なかかわりから、ここまで俺はミイラ取りとなって訪ねてきた……

この先、何が起こるか、誰か知ろう。

明日は、いよいよ、「ヴァレンヌ」へと向かう。

二十五年前、自分をエゾテリスムの「神秘の森」へと誘いこむ元となった、その名も奇しき響きの、幻の地へ――。

ヴァレンヌ――王の石碑まえの秘声

さらさらと音を立てて流れくる渓流を眺めて、しばし、橋の上に立ちつくしていた。

ついにやってきた――ヴァレンヌに。

左手の、橋のたもとに、流れに臨んで、いま出てきたばかりの古びた宿。こんな片田舎に、その名も仰々しく「グラン・モナルク館」という看板を掲げている。「大君主館」とは、さも云い切ったり――ヨーロッパ最大の君主《モナルク》、ルイ十六世が、そこに辿り着こうとして果たせなかったことを思うならば。

千載の恨みを浮かべて、川は流れる。

橋を渡った左手に、渓流に添って、一本の道がなだらかな坂を昇っていくのがみえる。その道から、二百数年前のある夜、王の一家を乗せた豪華馬車《ベルリーヌ》は下ってきたのだった。この先、わずか数百メートルの地点まで来て、そこで運命の鉄槌が下された。

グラン・モナルク館に無事着いてさえいたならば、デュマのいうごとく「歴史は変わっていただろう」。そこで待機していた二人の竜騎兵《ドラゴン》に先導されて、ブイエ将軍の屯営に到着し、そこから無事、オルヴァル僧院まで脱出できたものを。

……と、もはや講釈するまでもない。

すべて、歴史的事実となったことだ。

文学にも、映画にも。

シュテファン・ツヴァイクが、遠藤周作が、世紀の大脱走について書いた。マリー・

アントワネットという絶好のヒロインに焦点をあてて。ただし、二人とも、現地調査には赴かなかったので、ここでの描写は大ざっぱだが。

古いところでは、文豪アレクサンドル・デュマが、その名もずばり、『ヴァレンヌへの逃走』という、さすが見事なノン・フィクションを書き残している。デュマは、「何が起こったのか」をその目で見極めるべく、現地にまでやってきた。

そして、何と、私の泊まった「グラン・モナルク館」に宿を取っている。たまたまデュマの大崇拝者である愚生にとって――『モンテ・クリスト伯』は原文で完読した――これは僥倖の極みともいうべきことで、歓喜して宿泊を予約した次第だった。十九世紀以来、宿は修復されたが、どことなく田舎宿風の往時の匂いを留めている。

オルヴァルから七十キロ、タクシーで到着するや私は、粗末な二階の一室にスーツケースを投げこんで、すぐさま橋の上へと駆けつけてきたのだ。

王が辿ろうとしたヴァレンヌからオルヴァルへの道の、逆コースを私は取ってきた。オルヴァルからヴァレンヌへと。

起こった事ではなく、起こるであろう事をあらかじめ視てしまった人のヴィジョンの内側に入れたならと、あらぬ思いに取りつかれて。

そこで、まず、ノストラダムスを形成したオルヴァル僧院へ行き、一日がかりで廃墟を徘徊してきた。が、何を摑めただろうか。

これまでにも私は日本で数奇者と云われたり、フランスでもファンテジスト（幻想家）と呼ばれることがあった。何と呼ばれようとかまわない。自分が自分をどう考えるかが問題である。それにしても、今度ばかりは、ただの物狂いで済ませるわけにはいかない何かがこの旅に掛かっていると感じていた。

急流の乏しいフランスには珍しく、さらさらと瀬音を立てる流れを、欄干ごしに、なおもじっと視つめた。

夏至も近い午後、あたりは森閑として人の気配がない。

運命の鉄槌の下された地点に早く立ちたいと思ういっぽうで、どこかそれを懼れる気持もはたらいていた。

そこで、神妙に、ポケットから一枚の紙片を取り出した。

そこに一対の四行詩が書きつけてある。もう四半世紀まえ、パリで初めてこれを読んで衝撃を喫したことから一切が始まった。

原点回帰のお祓いをしよう。

夕風が立つ。
欄干に椅って、ひらひらと川上に紙をかざして読みあげる。古文体の韻文で書かれたノリトのようなものだ。訳出すれば——

（ヴァレンヌの詩）
夜半に来るであろう、王妃の森より、二組の旅人は。
道を転じて、HERNE《エルヌ》。白き石。
黒き僧は、灰色姿で、ヴァレンヌの中へと。
カペー家の選王は呼ぶであろう、嵐、火、血、斬首を。

——『サンテュリー』IX—20

（裏切者の詩*）
夫のみミトラ帽をかぶされ　打ちひしがれて、王宮還御。
叛徒、テュイルリーを襲い、その数　五百人であろう。
裏切者の一人は　爵位を持てるナルボンヌ。
老舗《しにせ》の油商人ソースが　王を衛士《えじ》の手に。

――『サンテュリー』IX―34

＊「ヴァレンヌの詩」、「裏切者の詩」という名称は、便宜上、私が付けたものである。

もはや、この一言一句がすべて歴史的事実だったことが実証されている。十九世紀以来、何人かの巨匠の努力によって解読されて。それでも誰にも解けなかった一語、「白き石」について、自分ごとき末端にも挑戦のチャンスが残されていた。「ヨハネ黙示録」第二章十七節に、殉難者には「それを受くる者のほか誰も知らざる新しき名を記したる白き石をあたへん」とあることから、この文脈においてはそれはマリー・アントワネットを示したものであろうと読み解いたのである。だが、それは後のことで、ヴァレンヌ行きのころにはまだこの発見には至っていなかった。

道は左手に折れ、ゆっくりと坂になる。

だんだんと遠ざかる渓流の向こう岸には旧市街が、その先には田園が広がっている。そのまた先には黒々と森が帯状に伸び、その果ての地平から眩しい斜光が射放たれてくる。遠く、夕立雲か、薄墨色に、かなりの速さで流れ、太陽はその間を出たり入ったり。

道は、細長い台地をだんだんと上っていく。ニュータウンの山の手といった感じの瀟洒な屋敷が行く手にみえてきた。

十分ほど歩いたころ、かなたに小さな時計塔が現れた。

あれか、往時はチャペルだったという建物は。

そこから道を跨いで張りだしたアーチに王の馬車の屋根がつっかえて、動けなくなった。ベルリン式の腰高なベルリーヌでなく、英国式だったら抜け出せたろうといわれている。そこでやむなく一行は馬車を降り、闇の中を手探るようにして進んできたところ、一軒の家にさしかかった……。

いま私が昇っていく坂道の右手、道からやや引っこんだ一画に、小さな四角い一画が見える。二百年前には、そこが運命の「一つ家《や》」だった。道の向こうからやってくる王の一行にとっては街道の最後の家だったわけで、そこを通りさえすれば、橋を渡って、こちらのグラン・モナルク館までは指呼の間だった。

石碑らしいものが、その引っこんだ一画に、ちらと頭を覗かせている。低い生け垣に囲まれ、注意しなければ行きすぎてしまうほど目立たない。もしやとの思いで近づくと、子供の背丈ほどの薄汚い壁が目に入った。どす黒い煉瓦を漆喰で重ねただけのおぞましいしろもので、その中央に、両手を広げたほどの大きさの碑文が嵌めこまれている。上方に、王冠が、ぴかっと金色に光ってみえた。

さては、ここが王逮捕の記念碑に違いない。

その前に、四段の石段が伸びている。

石段の両脇には、申し訳程度に野草がちょぼちょぼと植えられている。赤、黄、紫の乏しい彩りが却って惨めで、あゝ、こんなものはないほうがいいと、胸を衝かれて、石段の一段目に足をかけた。と、その瞬間であった――

「アァ、アァ、アァ、アァ……」

と、世にも奇怪な声が一斉に空中に響きわたったのは。

ぎょっとして私は一段目に立ったまま、動けなくなってしまった。

あんな声は聞いたことがない。鳥なら、たとえばカラスなら、一種類か、せいぜい数種類の啼き声だろうが、何十何百種類もの人間の叫びのごときが、まるでオペラの大合唱のように殷々と鳴っているのだ。

思わず空を見上げたが、小雀一羽、飛ぶでもない。

石碑の向こうを透かしみたが、わずかの庭木が茂っているのみ。周りに家はなく、閑散たる地域である。一帯は、周りの風景から盛りあがった台地になっていて、林も森もない。

いったいどこから聞こえてくるのかと、ぐるりを見回したが、見当もつかない。見えない天空のどこかで、しかも非常な広がりで、絶叫のような、詠嘆のような叫びは鳴り

1

2

3

ノストラダムスの偉大な幻視力を培った「大地の霊性」は今なお生きている——
1. 放浪の医師を大予言者に変身せしめたオルヴァル僧院の廃墟(106頁)
2. 一世の名詩で予言されたルイ16世捕縛の地、ヴァレンヌの石碑。その前で、著者63歳、空を覆う無数の奇怪な秘声を聴く(134頁)
3. 逃亡のルイ16世の王駕が留められた地点から、辿りえざりし憾みの道を眺める。その先、右手に川を渡った角に立つ、皮肉にも「大君侯館」と呼ばれる宿まで辿り着ければ歴史は変わっていた。

つづけている。

しばらく一段目に立ったまま待ったが、いっこうに鳴りやまないので、二段目、三段目と、そろそろと昇った。その間も叫喚は続いている。たったの四段を何分間かかけて昇りきると、叫びは嘘のようにぴたりと鎮まった。

その場は、畳二畳たらずの、粗末な石畳だった。

まんまえに、どす黒い煉瓦壁。

が、中には不釣り合いなほどの立派な白大理石板が嵌めこまれ、上に王冠が、下に由来文が、ぜんぶ金色に、麗々しく刻みこまれている。

私は、手を合わせることこそしなかったが、心は祈る気持だった。碑文を読もうと、一歩前に進みでた。

すると、またしても、あの怪音が始まったのだった。

それは、まるで何物かがこのジャポネの一挙手一投足を見守っていて、それに合わせて、見えない指揮棒にでも従うかのごとく、これほどおびただしい声の大合唱が再開したのだった。

事ここに至って、さすがに私は、これは只事でないと気づいた。

が、またしても何分間か経っても鳴りやまないので、もはや無視することとして、碑文を読みはじめた。こう書かれている。

ここに、ヴァレンヌ村の食品店主にして役場の勘定方、「ソース」の家が建っていた。一九一四年―一九一八年の戦争によって破壊された。この家の二階で、ルイ十六世と王妃、並びに王の家族は逮捕されたのち、一七九一年六月二十一日から二十二日にかけての夜を過ごした。

王の一家は、虚しい脱走計画をめぐらし、ブイエ将軍の部隊到着を待ちあぐねたあと、国民議会の命により、ここから帰還の途に就かされたのである。

読みおわると、いつのまにか声は止んでいた。まるで何事もなかったかのように、頭上には、しんとして、透明な夕空が広がっているばかり。

「ソース」という名がはっきり刻まれていたことに、私は動揺させられていた。予言書では《Saulce》、碑文では《Sauce》と書かれ、前者のほうが古風の綴りで、《l》が一字多いだけの違いだ。職業も合っている。碑文では「食料店主《エピシエー》」、予言では「油商人」だが、要するに田舎の雑貨屋であろう。

そんな無名の陋屋の亭主が、突然、眩しい歴史の檜舞台に引っぱりあげられたのだ。そもそも、ノストラダムス予言は、歴史家が見るであろうものを、先取りして見せるだけではない。歴史家が見なかったディテールまで抉りだして見せる怖さを持っている。ここでも、「裏切者」の一人としてソースの名が出た。一夜明けてソースは王を共和派の「衛士」の手に引き渡す。かくて国民議会から「共和国の英雄」として引き立てられるが、実は王と取引したのではないかと、二重スパイ的に疑われてのちに失脚、零落するに至る。ここまで幻視者はお見透しだったのだ。

《裏切者の一人、爵位を持てるナルボンヌ》も、隠れた裏面が予言詩のおかげで炙りだされた。ナルボンヌ伯爵は、ルイ十五世の非嫡出子で、ルイ十六世によって軍務大臣に任命され、表面は王党派だったが、王の死刑の可否を問う国民公会の場で、ひそかに賛成派の一票を投じたことが後に判明したのだ。

ナルボンヌはともあれ、食品店主でその名もソースという男のほうが、かねがね「裏切者の詩」の中で私には気になるところだった。果たせるかな、こうして来てみれば、その名は歴然と碑文中に刻まれ、しかも石碑そのものが、ソース家の跡に建てられているのである。

いよいよもって好奇心に駆られて、彼奴《かやつ》はいったいどんな面つきの人間だったのだろうとかと訝《いぶか》りながら階段を下りるや、目の前に、どんと、挑戦的表情の顔が現れた。眼光炯々と射るごとく、酷薄な薄い唇に、あるかなきかの不敵な微笑を浮かべて。

それは掲示板に貼られた肖像画だった。「殊勲者ソース殿――革命博物館」とある。すぐこの先の博物館のポスターのまんまえに私は立っていたのだ。

その足で同館を訪ねた。

のっけから、ショッキングな演出が凝らされている。

左手に、英雄「ソース殿」の威嚇的超大の肖像画。それと向き合わせて、高手小手に縛された王妃マリー・アントワネットの等身大石膏像、という具合に。

革命はフランス共和国の誇りであることを忘れてはなるまい。

また、そのようになると告げたのが、ノストラダムス予言だった。《王国も、宗派《セクト》も、いまに大変化をとげる。つまり、現在と正反対のものとなるであろう》と『サンテュリー』序文にあるように。

＊

開け放った窓から、瀬音が絶えず聞こえてくる。

気持の昂ぶりが鎮まらず、また起き出して深夜の窓辺に立った。

部屋は渓流に面し、斜め左手にさっきの橋がみえる。月光が波間に踊っている。階下からは、いつまでも飲んで騒ぐ村人たちの胴間声が上がってくる。

あの橋を、ヨーロッパ最強の国王は渡れず、東洋からの名もなき旅人は渡って、さっき帰ってきた。かの日は、一七九一年六月二十一日、夏至の日だった。それから二百五年の歳月が川水とともに流れ、きょうの日は一九九六年六月九日である。余人にとっては何物でもなかろうと、私自身にとっては、石碑で秘声の大合唱を聞いた日付なるゆえに、永久に忘れられない。

あれはいったい、何だったのか。

何であろうと、一世の見者のヴィジョンに導かれてかいまみた、西洋文明の巨大な亀裂からの咆哮だったに違いない。

幸い、明日は、パリに下って、秘教の大家、ジャン・フォール氏と会う約束となっている。いつも不可解な超自然現象に遭遇するたびに、きまってそのあと、いずれかの賢者と遭って謎解きをされる僥倖に浴してきた。

明日もそうなるだろうか。

第三章　地下洞窟の人々

魔女と荒ぶる神

ヴァレンヌからパリに向かった。

往路はわざわざオランダ経由の大迂回だったが、帰路は国鉄でパリ東駅まで、たったの一時間ほどである。

晴れた六月の午後の光を窓外に見ながら、列車のコースが、ほとんど、ルイ十六世一家のパリ帰還のルートと重なっていることに気づいて、愕然とした。

パリに着けば、その足で、著名な秘教学者、ジャン・フォール氏の講演会場に駆けつける予定となっている。メモを見ると、会場は、驚いたことに「タンプル街」とある。

タンプル街といえば、「タンプルの塔」のあった場所ではないか。ヴァレンヌからパリへ連れ戻された王の一家が、そのまま幽閉された、あの陰鬱きわまりない呪いの場だ。

王と王妃マリー・アントワネットは、そこから順にギロチンへと引き立てられていった。

走る列車の窓から射し入る光が、突如、氷の刃に変わってみえる。これは旅路などというものではない、と呻いた。俺は、運命を旅しているのだ。

タンプル街は、セーヌ右岸のマレ地区の中にある。

もと「沼地《マレ》」だったこのエリアは、パリ第三区と四区にまたがり、十八世紀以来、貴族と文人の好んで住む風雅な界隈として知られてきた。私も、駆け出しのころ、作家のマンディアルグをはじめ、引き立ててくれるこの地の住人の家に出入りしたものだった。久々に、枯淡な雰囲気の街なかに入って、いっぺんに在りし日が甦ってきた。

車は、いま、美しい正方形のヴォージュ広場に面したヴィクトール・ユゴー館の前を通っていく。ここは、デュマや、ラマルティーヌなど、名声赫々たる文人墨客の集いの場だった。『レ・ミゼラブル』の作者は、水墨画の達人でもあったから、まさに西洋の墨客と呼ぶのにぴったりだ。ここは、その傑作二千点ばかりを収めたヴィクトール・ユゴー美術館として有名で、私も魅せられて何度足をはこんだことか。

作家アンドレ＝ピエール・ド・マンディアルグが住んでいたのは、どのあたりだったろうか。

ぎしぎしと鳴る幅広の木製の螺旋階段を昇るその家は、幻想とエロスのマンディアルグ文学を地で行く生活空間だった。こちらは彼の作品の愛読者というほどではなかったが、彼のほうは青二才の詩作を認めてくれて、画家のミロなどと組んだ豪華詩画集『パロル・パント』に推薦してくれた。本郷元町のあの暗い下宿で、夢からインスピレートされて書いた詩、「飛箭」である。マンディアルグと、アンドレ・ブルトン、ミシェル・

タピエの三氏が審査員として名をつらねる権威ある出版で、自分にとってはそれが詩人としてのささやかなデビューとなった。

初めて私がマンディアルグ邸を訪ねたのは、その妻で閨秀画家のボナが、メキシコの愛人のもとに走ったあと、幼女を連れて出戻りしたころだった。ボナ・ド・マンディアルグは、ファンの間では現代西洋美人の一人とも噂される端麗な容姿の持主だったが、怪奇幻想趣味が徹底していて、半裸の姿勢で私を迎えてくれたこともあった。ダヴィッド描く「長椅子に横たわるレカミエ夫人像」さながら、天蓋つきのベッドに横たわり、そこからしなやかに右手を差し伸べるのだったが、雪花石膏《アラバスター》のように真っ白な左胸には、一匹の青いカメレオンが這っていた。


車は、ついで、カレ・トリニ劇場の前を通りすぎていく。

こんなひっそりと目立たない小屋が、往年のファンにとってはたまらない想い出の場だ。夜ごとの割れんばかりの喝采が甦る。日本の誇る世界的打楽器奏者、ツトム・ヤマシタの出し物が大変な評判を呼び、私もすっかり虜《とりこ》となって通いつめた。

その出し物の名を、初めて私が作者自身の口から直接に聞いたのは、「レニングラード街三十番地」――あの吉兆の――の拙宅においてだった。ある日、ミュージシャンは、横尾忠則と連れ立ってここにやってきた。自分にはまったくそんな記憶はないのだが、こちらはそのとき、紋付き羽織姿で現れたらしい。最近、京都で再会した折に、ツトムさん——と呼んでいる——自身からそう聞かされたのだから、間違いあるまい。そうとすれば、二十四、五歳の若き天才を迎えるのに、最高の礼を尽くそうとしたものか。

私のほうで覚えているのは、たった一つだけだ。「パリで何をおやりですか」と質問したのに答えて、ひとこと、「レッド・ブッダです」と返事された。あとさきのコメント、一切なし。却ってそのことで、強く印象づけられた。もっとも、素人に、実際にどう説明できただろうか。あとで舞台を観て初めて納得した。そのあと、彼は何も付け加えなかったが、あっけらかんとした笑いが印象的だった。しかし、沈黙と哄笑の間にどんなに凄まじい「オト」があるかを、程なく私は知ることとなる。

アメリカで華々しい成功を収めたのちに、「東からの男」——あるアルバムからの題名を借りれば——は、つぎに旧大陸を目ざした。ロンドンでセンセーションを巻き起こし、そこから颯爽とドーヴァー海峡を渡ってきたのだ。芸術の世界では、パリを制する者は全欧を制する。「レッド・ブッダ」の興行に先立って、ある圧倒的なデビュー公演を青年は用意していた。協奏曲『カシオペア』のソリストとして、二百年前にヨーロッパ最大のオペラハウスとして建てられたシャトレ劇場で打って出ようとしていたのである。武満徹がツトム・ヤマシタのために作曲し、小澤征爾の指揮でニューヨークで初演された伝説的一作だ。フランス風の云いかたをすれば、全パリがそこに駆けつけた。当時は私もいっぱしの顔になっていたので、このときとばかり動員に拍車をかけた。その中にマンディアルグ夫妻を数えていたことは、いうまでもない。ところがこれが飛んでもないスキャンダルの元となった。

ナポレオン三世治下、第二帝政様式の優雅を留める、波型アーチのファッサードから大劇場に入ると、四層のバルコニーに囲まれた桟敷は、もう超満席だった。補助椅子まで埋まって、身動きもとれない。迫り上がった後部座席に坐って見渡すと、マンディアルグ夫妻が舞台かぶりつきの一列目に陣取っているのが遠目に見えた。舞台上手で、オーケストラの演奏が始まった。その左手に、積み重なるばかりに渦を巻いて配された打楽器の大群。これを独りで打とうというのか。だが、奏者の姿は見えない。ところが、交響曲が進み、指揮棒が一段と高く振り上げられた瞬間、私の右手の暗がりで、さらさらと鈴の鳴る音がした――と、そのときまで通路に蹲っていた白っぽい影が立ちあがり、両の手首を打ち振りつつ、清やかな音色《ねいろ》を裳裾のように曳いて、舞台めがけて駆け下りていった。

日本神話を知らない西洋人の目には、どう映ったことであろうか。

髪は美豆良《みずら》に結い、その髪はふさふさと両耳を覆い、上下純白の神代衣装に身をつつんだ若者は、風のように楽団員の前を通り抜けると、舞台下手の打楽器群の真ん中にすっくと立った。と見るや、二本の撥《ばち》は目にも止まらぬ速さで動いて、蓮葉《はちすは》にたばしる霰《あられ》さながら、ありとあらゆる破裂音を同時的に喚起した。パーカッション、という。が、その激情は、むしろ、パロクシスム（発作）と呼びたいほど。東征の神話的皇子《みこ》といった感じに品よく結われていた黒髪は逆立ち、時に法悦の極まりのごとく口は嚇と開いて、ぶんぶん回る両腕は踊るシヴァ神さながら何本にも重なってみえた。

あとで、千手観音のように見えましたよと云うと、夫子、例の高笑いで、いや実は千手観音が僕の守り本尊なんですよと告白した。

聴衆は、エクスタシーの極にあった。

ずっとのちに、ツトム・ヤマシタは、ある古代石の発見によって縄文時代を復活させたが、あの夜、すでに、火焔土器の炎《ほむら》さながらの超古日本の底鳴りをパリに響かせたのではなかろうか。

最後部の座席からの遠見でさえ私に震えが来たのだから、真ん前でマグマ噴出の直撃を受けた人々の衝撃は察するに余りがあった。

幕が下りて、ロビーに出ると、そこには、見るも無惨なボナの姿があった。私を見る

1

2

霊性の大海の汀で打楽器を奏する天才アーチスト、ツトム・ヤマシタ(152頁)——
1. 1971年、ホーチミン作＝ハンス・ヴェルナー作曲「監獄の歌」を力奏。
2. 1970年、レオ・ブラワー作曲「エキサイドロス」をベルリン・フィルと共演。

なり、こうわめくのだった。

「火事よ、火事よ！　ここに燃え移る！　早く消防車を呼んで！」

マンディアルグ氏は、端正な顔をこわばらせて一言もなかった。

恐怖の面持ちで夫妻を取り巻く人々から、実際に「消防夫《ポンピエー》を呼べ！」という声が挙がり、数分後には銀色のヘルメットを輝かせた消防隊員たちが駆け上ってきた。だが、それは、狂女を運び出すためだった。そのまま、ボナ・ド・マンディアルグは病院に入れられてしまったのだ。

翌朝、私は、マンディアルグ氏から電話をもらって驚いた。そんなことはかつて一度もなかったからだ。

「タッデオ……」

と、こわばった声でいうのだった。（かつてヨーロッパには、タッデオなにがしという聖人がいたらしく、自分ごとき俗物の名、タダオが畏れ多くもしばしばそのように混同して呼ばれることがあった）

「不気味な芸術家を紹介するのは、もう止めにしてくれたまえ！」

こんなときに笑っては申し訳ないが、不気味の《アンキエタン》一語には苦笑させられずにいなかった。

よほど、アンキエタンなのはそっちじゃありませんかとまぜかえしたかったが、こんなときに不謹慎かと口をつぐんだ。マンディアルグ自身はさておき、ボナのほうは、「私は魔女よ」と自ら得意がるところがあったからだ。日本でも翻訳された『カファルグ』という短編小説で、彼女を見て逆毛を立てて逃げ出した犬のことを得々と書いている。実話よと聞かされていた。

西洋の自称魔女、日本のエクソシストに目を回す――の図であったか。

そんな一騒動のあったあとだけに、いよいよ『レッド・ブッダ』の興行となったとき、今度ばかりはマンディアルグ夫妻に声をかける気にならなかったのは、当然であった。

そしてそれは正解だった。というのは、ツトム・ヤマシタ芸術は明快なメッセージを持っていて、この前衛的な音劇ほど明確に、ということはスリリングにそれが発せられた作品も稀だったからである。

ある一点――ハラ（肚）に、それは集中していた。

群舞の中の一人のダンサーが正座して、臍下丹田に刃を突き立てるや、真っ赤なライトがそこに集中投下され、その瞬間、ひときわ高く鳴り響く打楽器の奏打のもと、沛然と起こる音響の驟雨を浴びて、呪術的彼岸《オードラ》へと観客は一挙に引き入れられていくのだった。

パリの若手日本人芸術家集団が、挙《こぞ》って倒錯的役柄に変身していた。女流ヴァイオリニストが三味線を弾けば、バレリーナが、おかめの仮面をつけて、惜しげもなくその官能的肢体をくねらせた。パリジャンの眼は肥えている。もしそこに、見えざる何らかの超越への意思がなかったとしたら、スペクタクルは、スキャンダルすれすれの、演者・観客ともに娯しむ前衛音劇として終わったかもしれない。

超越は、ここでは、二つの悲劇的影の刻印によって方向づけられていた。一つは三島事件であり、もう一つは広島原爆である。そもそも、『レッド・ブッダ』が初演されたのは、アヴィニョンの国際演劇祭においてだった。その何年かまえに三島由紀夫の『憂国』がそこで初演されたという因縁があった。つぎにロンドンで公演されて大評判を呼び、その栄冠に飾られてパリに入ってきたのだが、そのあとさらにアメリカに渡って二大劇場で打ち上げられることとなる。ジョージ・ルーカスはこれを観て、『スター・ウォーズ』制作のうえにインスピレートされたという。但し、舞台のフィナーレ、広島原爆のシーンは、アメリカでは高踏的すぎたのか、理解を欠いたようだが。私自身、ヨーロッパにおける唯一の原爆展をパリのユネスコ本部で実現した当事者だが、細心の注意を払ったにもかかわらず、案に相違して反撥しか招かなかった苦い体験をなめている。「ミシマ」が苛烈な啓示でありえたのにひきかえ、「ヒロシマ」は、旧戦勝国側にとって依然として踏み絵に留まっていたのだった。

いずれにせよ、夜をこめて、カレ・トリニ劇場は割れんばかりの喝采に揺れ、それは幾夜も延長で続いた。あの熱狂は、見た者でなければわからない。アルバムも幾つか出ているようだが、まだ見ていない。しかし、最も熱情的にその精気を留めたのは、小牧彰子の著書、『レッド・ブッダよ、永遠に』であろう。劇団の陣頭に立って指揮していた、実のお姉さんの生き生きとした奮闘ぶりが目に浮かぶ。リハーサルで、桟敷いっぱいに響いた、「ツトム！」との呼び声とともに。

その後、二、三年して私は帰国し、しばらくこの荒ぶる神のことは忘れていた。ところが、ある日、週刊誌のグラビアを見て一驚した。京都の真言宗総本山、東寺で修行のかたわら、僧堂にスタジオを設けて、苦行僧のごとき面持ちで木魚ならぬ打楽器に撥を振りあげる姿が大写しとなっていたからだ。

私自身が流浪の身となっていたときだけに、畏友の放つオーラがよけいに眩しかった。ただ、そうした中にあっても、互いの運命がクロスする一点があったらしい。「弘法大師千百五十年御遠忌」をとおして出遭っていたことである。私のほうは、その時を期して、高野山を舞台に、見えない世界との科学的架橋の国際会議開催を発願して、その年、一九八四年に、場所こそ筑波大学に変わってしまったが、《科学・技術と精神世界》

国際シンポジウムの実現に至った。いっぽう、ツトム・ヤマシタは、同じ年、《高野山ライブ一一五〇年の合奏》という壮大な音楽法要をクリエートしていたのだった。

お互い、パリで一時期、青春の――「アンキエタンな」――冒険を共にしたのちに、祖国に帰って、それぞれ、九世紀日本の物心両界の大統合者、弘法大師空海の袖にすがることによって、霊性の大海の汀《みぎわ》で再会したということなのかもしれない。

*

それからさらに十二年が過ぎた……と、カレ・トリニ劇場の前を通りすぎながら指折り数えた。

真夏の日曜日、パリの街なかは、観光客以外に人影はない。こんなときに、秘教の大家の話を聴きにくる人があるのだろうか。もっとも、そこに、遠路、こうして駆けつける酔狂の余所者もあるわいと苦笑した。

ところで、西洋で秘教と云い、日本で密教という。

フランス語では同じ「エゾテリスム」だ。

しかし、西洋のキリスト教世界では、秘教は、しばしば錬金術や占星術とむすびついて異端視され、火炙りの刑におびえながらかつがつ生き延びてきた。これにひきかえ、日本では、密教は、禅もふくめて、仏教の大道を堂々と進んできた。何より、弘法大師の偉大性があればこそであろう。真言密教の高い芸術性は、ツトム・ヤマシタの前衛をも包摂する。このことはまた、かつて、最澄の天台密教につつまれて世阿弥の花伝書が成就されたことをも私に想起させた。

代表的エゾテリスト、ジャン・フォール氏に会いにいく途上で、はからずも想い出のカレ・トリニ座の前を通りすぎたことから、そのように私は思いを回らしたが、もちろん、そのときには、その後の数年間にツトム・ヤマシタが更にどれほど大きな新境地を切り啓くかについて、窺い知るよしもなかった。あの輝かしいロック・スター的成功の光彩も、所詮は妄我の表れと悟って、彼は、それとは対極の、己を虚空に没する生きかたへと転身を遂げていったからである。

世間はいまや、それが、ある奇蹟的な超高周波の石――古くから縄文時代の石切場で伐り出されていたサヌカイト――との巡り会いから生じた未知領域の発見であることを知っている。しかし、そこまで到達するうえに、天才的打楽器奏者が、僧堂での修行を突きつめて、二年間というもの、命がけの苦行を体験しなければならなかった事実は、まだ十分に世に知られてはいない……

追想のフラッシュバックを断ち切って、タクシーのフロント硝子ごしに、「タンプル」というメトロの駅名が飛びこんできた。

一瞬、「タンプルの塔」の凶々《まがまが》しい幻影が、その向こうに聳え立つ。ヴァレンヌから連行されたルイ十六世一家が、黒山の群衆の痛罵を浴びながら、三角帽の共和国兵士の銃剣を突きつけられて、その中へと消えてゆく……ナポレオンの命令で巨塔は破壊されて、いまは跡形もない。代わって、夏の陽光の振りそそぐ平凡な公園があるばかり。ヴァレンヌから、囚われの国王一家を追うかのごとき運命線上を辿ってきた我が幻想は、ここでぷっつりと切れた。

車は、公園に添って半回転し、裏通りに入ると、そこは、ぱっとしない袋小路だった。大講演会場を予想していたが、そんなものはどこにもない。見回すと、奥まった右手に一つの扉を見つけた。ペンキの剝げかかった板戸の取っ手を引いた。と、危うく転げ落ちそうになった。半地下の惨めたらしい桟敷が足下から広がり、そこにぎっしりと詰めかけた人々が一斉にこちらを振り仰いだ。

日本を出てから十日間、廃墟めぐりの強行で、くたびれた格好の異邦人は、薄暗い洞窟じみた桟敷から見れば、一つしかない扉から射し入る逆光に、冴えない奇妙な影とも見えたことであろう。

左手の、低い演壇でしゃべっていた男が、きっと、こちらを向いた。もじゃもじゃの白ひげにつつまれた幅広《ばんびろ》の顔に、眼鏡をかけ、その奥に鋭い光をたたえた、それでいて体つきはごろんと肥えた、どこかアンバランスな隠者といった風体。歳のころは七十がらみ、私より四、五歳上と見た。

これが、秘教学者として二十世紀後半のフランスで教祖的地位を占めるジャン・フォール氏の初印象だった。

王殺しのヨーロッパ文化

そっと、後方の空いた椅子に坐った。

黒板に貼られた「百合のノートルダム寺」という演題が目に入る。講演は終わりに近づいているらしい。

「以上見たとおり……」

と、講師は声を張りあげた。

「過去二百年来、世界中が、一七八九年のフランス革命をモデルとして追ってきた。なるほど、自由と人権の理論においては、それは素晴らしい。しかし、その実践の手段としたものは、続く恐怖政治の暴力だったと云わざるをえない！」

「その通り！」という声が挙がった。

のっけから、私は度肝を抜かれてしまった。この国に留学してから、ちょうど三十三年になる。その間、誇り高い「共和国」の人間がこんなふうな物云いをする――自己否定的に――のは聞いたことがない。思わず、居住まいを正した。

ジャン・フォールといえば、私にとっては、ヴライク・イオネスクの『ノストラダムス・メッセージ』の序文を読んだのがきっかけだった。それから、代表作、『人類アダム・サイクル』を読み、これぞ秘教の極意と感嘆した。そこで今回の旅行に先立ってニューヨークのイオネスクに紹介を願いでて、今日の講演会のことを知らされ、駆けつけてきたのである。しかし、公開の席上でこのように語るとは予想もしていなかった。

長髯《ちょうぜん》をしごいて、講師は悠然と言葉を継いだ。

「フランス革命の十八世紀は、光の世紀と呼ばれてきた。光、つまり啓蒙ということで、世界中の抑圧された人々に対して、たしかにこれは希望の星となったことであろう。しかし、我らフランス人自身にとっては、真の光明の時代とは、聖王ルイの十三世紀だったんですぞ。それは、全ヨーロッパの地平を覆ってノートルダム大聖堂が続々と建てられた十一世紀末から、わずか二百年たらずの期間にすぎなかったけれども、神国フランスの魂の回転軸は、その時代に形成されたといって憚りない」

拍手が起こった。

「フランス・ミスティック」という言葉に私は耳をとどめた。自動的にそれを頭の中で「神国フランス」と訳していた。そういえば、小泉八雲の『神国日本』という本があったな、あの原題は何だったたっけ……

「聖王ルイ、アッシジの聖フランチェスコ、聖トマス・アクイナス、フィオーレのヨアキム……、これら偉大な魂の導師たちによって輝いた光明の時代は、しかし、一三一四年の神殿騎士団の潰滅によって、無惨にも断ち切られてしまった……」

一拍置いて、慨嘆する。

「あゝ、フランスが自ら開祖として誇る近代世界は、実にこの神殿騎士団の悲劇をもって始まり、そこにまだ、われわれは漫然として生きているのですぞ！」

ウイ、ウイの掛け声。床板を足で踏みならす者もいる。

場内から男の声で質問が飛んだ。

「それを悪魔の仕業と呼ぶべきか、それとも神の仕業と呼ぶべきか？」

「退歩と取るか、進歩と取るか、ということじゃな。私の見解からすれば、悪魔の仕業だということですよ、もちろん！　フランス王国はそこから一変した。そのことは世の歴史家どもの目には入らない。美王フィリップ――外見だけの美ですぞ――が神殿騎士団員を皆殺しにして財宝を奪い、国庫を満たしたのは、即、近代化であり、国家時代の到来だというのが彼らの云い分なのじゃからな。われわれはそうは思わない。魂の次元においてそれは堕落にほかならない！」

凄まじい拍手が起こった。

オルヴァル僧院の廃墟で私が考えたと同じことを、いままさにしゃべっている。

「われわれは、封建時代に還れというのではない。源泉に還れと云っているのじゃ。フランスの源泉とは、キリスト紀元四九六年、メロヴィング王家のクロヴィス一世がカトリック教徒となり、もってフランク王国を建国した時のことじゃ。今年は、いみじくも、その千五百年祭の意義深い年に当たっていることを想起せねばならない……」

そうか、そうだったんだと、腑に落ちる思いだった。

この、見えざる時の力に動かされて、私自身、今年、ここまで引き寄せられてきたのだろうか。

そういえば、さっき降りたパリ東駅の構内で、一軒の書店のウィンドーに『クロヴィス』という大きな本が飾られていたのを思いだした。シャルル＝マリー・ロランという本の著者を、私は知っていた。かつてオリヴィエ君から紹介されたことのある外交官で、その後、欧州連合議会の議員になったと聞いていた。私はその人物に共感を抱いていたので、のちに伊勢で日仏コロキウムを企画したときに参加させたいと願ったが、「極右」に転じたという理由でオリヴィエ君は同意しなかった。同様に、日本側の二、三の参加者候補も、フランス側の政治的判断でいちゃもんをつけられて拒否されることとなり、そこに私は改めてこの国の深い闇を感じることとなる。

弁士のトーンは上がった。

「しかしながら、フランス王国の失墜は、クロヴィス一世の即位のときからすでに予言されていたことなのじゃよ。ランス大聖堂においてクロヴィスに受洗をほどこした聖レミは、つとに予言していたではないかね――王国は、以後、歴代の諸王が真理と徳操を守るかぎりは繁栄するが、背教《アポスタジー》によって崩壊するであろう、と。背教とは、革命にほかならぬ。すなわち、革命によって王権は廃止され、共和制発足をもって、国の神聖とわれわれの契りは断たれてしまった。四九六年のクロヴィス受洗から、一七九二年の共和制宣言まで、千二百九十六年間をもって、百合の花王朝と呼ばれる我らがフランス王国の命脈は尽きたのじゃった……」

一気にそこまで滔々と弁ずると、さらに語調を変え、こう云い切った。

「フランスの王統千三百年は、さりながら、シナにもエジプトにもなく、世界最長を誇るものである！」

　割れんばかりの喝采。

おや、これは少々おかしいと感じた。さては、フォール先生、日本の万世一系をご存じないな……

テレパシーだろうか、そう思った瞬間、講師からこっちに声が掛かった。

「そこにおられる方、そう、さっき到着した……そう、あなたです……」

みんな振り返って、こちらを見た。

「ちょっと、ここへお出でいただきたい」

誘いにこたえて私は立ちあがり、講師の傍に歩み寄った。

ジャン・フォールは、一脚の椅子を引き寄せ、そこに私を坐らせると、尋ねた。

「あなたは、ムッシュー竹本ではないかね」

そうですと答えると、白髭に囲まれた幅広の顔いっぱいに微笑を浮かべて、手を差し伸べた。

「おゝ、あなたのことは、盟友ヴライク・イオネスクから詳しく聞いておる」

そう云いながら、こちらのくたびれた旅姿を眺めやり、

「ところで、どこからお出でかな」

と質問した。

「オルヴァル僧院の廃墟からです」

すると、彼は、聴衆に向かってこう叫んだ。

「諸君、日本人のタダオ・タケモト氏をご紹介します。この方は、失われたオルヴァル僧院から見えたんですぞ！」

オルヴァル、オルヴァルと、聴衆の間にさざめきが起こった。ジャン・フォールは、得たりとばかり頷きながら
「われわれの中の誰ひとりとして、あそこまで行った人間はござらぬ」

と、握手したままで言葉を続けた。この人の語り口は、どこか古武士のような擬古調のところがある。

「そう聞いただけで、あなたはわれわれの友《アミ》です。それに、イオネスクからの手紙によれば、あなたはフランスの名誉を救ってくださった。ノストラダムス予言の唯一真実の解読書であるイオネスクの名著を翻訳されただけでなく、著者を日本に招いて、予言の真義の普及に貢献してくださったとか……」

そう聞くと、すぐ目の前の、一列目の女性が言葉を挟んだ。

「そのことを伝えたパリ・マッチ誌の特集記事は、私も読みましたわ。日本でイオネ

スクはたいそうな敬意をもって迎えられ、テレビに出たり、国立大学で講演したりしたとか……」

淡いサングラスをかけ、菫色のスカーフのよく似合う高齢女性で、若いときはさぞ美しかったに違いない。

そう聞くと、ジャン・フォールは嬉しそうに急《せ》きこんだ。

「いかにも左様、マダム・ド・ロシュフォール。ニューヨークからイオネスクは、大変な興奮の体で、自分は凱旋将軍のようにフジヤマの国に迎えられたと書いてきましたよ。それにしても、あゝ、われわれは、恥ずかしいことじゃ……」

と、ぼさぼさの髪の毛を掻きむしる。

「フランス社会は、あのフォンブリュヌのいんちき解釈本にすっかり踊らされて、いっぽう、イオネスクの記念碑的名著に対しては完全にそっぽを向いておったんじゃからな！　日本が、つまりあなたが介入してくれなかったら、永久にノストラダムスもフランスも誤解の汚辱にまみれたままじゃった。同志として、感謝をこめて、以後、君を、タダオと呼ばせてもらおう」

「あなた」が、ここで「君」に変わった。

「それにしても……」

と云いさして私のほうに顔を振り向け、質問した。

「どうして、タダオ、君は、そんなにまで熱心に日本でノストラダムス紹介の労を取ったばかりでなく、はるばるオルヴァルまで出向いてこられたのかな。どうかね、諸君、私の講演はもうだいたい終わったので、この珍客を迎えて、少しくトークさせていただきたいと思うのじゃが……」

場内からは一斉に拍手が起こった。

わずか三十分たらずの間に、ここの空気に私は年来の知己のような親しみを感じはじめていた。何度となくフランス人公衆の前に立ってしゃべり、そのつど、この国びと特有のラテン的に明るい友好の雰囲気に馴染んできたが、云ってみれば、多くは、それは、ド・ゴール体制派の、そしてそれが正統的に継承した歴史的勝利者たる共和国の、陽の当たる側の人々の支配する社会だった。サイレント・マジョリティもあると感じてはいたが、表面立ってその発言を聞く機会はなかった。ところが、ここでは、匂いからして違うのだ。大げさな云いかたをすれば、これら七、八十人の聴衆をつつむ、岩肌も露わな、陰鬱な、この地下空間からは、初期キリスト教徒が身を隠した古代ローマのカタコンベのような空気さえ伝わってくるのだった。

そのときにはまだ、一流の人士もその中に入り混じっているとは知らなかったが。

マイクを向けられて、私はまず、ジャン・フォールに会釈して云った。

「先生《メートル》、並びに紳士淑女の皆さん、私は、本日、非常な感動をもって、こちらへ駆けつけてまいりました。と申しますのは、日本からベルギーのオルヴァル僧院の廃墟を訪ねて、そこからヴァレンヌへと下り、ルイ十六世一家の捕縛の跡を訪ねて、それからこちらへ参ったのですが、ヴァレンヌからここ、タンプルへのコースは、そのまま、王一家の死出の旅路だったんですからね、深いカルマを感じざるをえません……」

「諸君、聞いたかね」とジャン・フォールは相槌を打った。「このジャポネは、私共フランス人がやらなければならないことをやっておる……。しかし、なぜ、わざわざ日本からオルヴァルくんだりまで行ったのかね」

「非常な深い神秘の地と感じていたからです。先生は、先ほど、神殿騎士団の最期を語られましたね。オルヴァル聖母大修道院は、ご存じのとおり、同騎士団の牙城の一つだったところです。聖ベルナールの比護のもと、騎士たちはそこで東方教会風の典礼を行っていました。仰るとおり、他ならぬ自分たちの王によって殲滅され、二百三十年後に、若きミシェル・ド・ノートルダムが僧院に入ったときには、僧院の往年の勢威は見る影もありませんでしたけれども、しかし、聖ヨハネを継承する幻視の伝統は続いていたはずです。これを道士ミシェルは身につけ、まさに黙示録の継承者というにふさわしい人類史上ただ一人の予言者となりました。その秘密を、私は、たとえ廃墟であろうと、僧院のその場に立てば、幾分かでもつかめるのではなかろうかと考えたのです……」

「それで、何か摑めたかな」

ストレートの問いに、こっちは少々口笛もった。

どう云うべきだろうか。

しかし、洞窟のような会場の、聴衆の　人々々の、刺すような好奇の視線を受けて、ここでは何も隠す必要はあるまいと感じた。

「広大な廃墟の中の、教会の跡地で、ある石の上に立ったときのことです。それは、かつては二階にあった修道士たちの共同寝室に通ずる階段の、一番下の踏み段でした。いまは二階も階段もありませんがね。残っているのは、その最後の踏み段だけです。修道士たちが、そこを踏んで一階に降り立つと、礼拝堂の祭壇の真向かいに立つように設計されていました。そこで、私も、その残された、何の変哲もない長方形の石の上に立ってみたのです。というのは、かつてそこで道士ミシェルが感じたであろうような何かを、少しでも自分も感じられないであろうかと、突拍子もないことを思いついたからです。すると、真ん前に、焼け残った――一七九三年にフランスの革命軍の手で僧院は徹底破壊されました――北面の壁が神々しく聳えているのが見えました。視線を上げると、上方に、古拙な形の、ロザスが見えます。もちろん、玻璃絵窓は焼け落ちてしまって、ぽっかりとした空洞だけでしたが……」

「それは……それは……どんな形をしていたかね」

ジャン・フォールは急き込んで尋ねた。

「六弁の花模様でした」

「おゝ、それこそは、百合の花、フランス王家の紋様じゃよ。きょう、私はここで、パリのノートルダム大聖堂のロザスの一つが百合の花を表していることの意味について語ったところじゃった」

「それは奇しき暗合ですね。私はまた、ロザスだから薔薇の花かなと考えていましたが……。そこで、くだんの踏み石の上に立って、じっとそのロザスを見上げました。すると、空洞の向こうに、その百合の花型に切り取られた樹木の緑が見え、眩しい光が射しこんできました。見るも無惨な廃墟なのに、六弁の形をした光は変わらない……そう思ったとき、破壊しつくされたロマネスク式聖堂のどこかから、グレゴリオ聖歌が聞こえてきたように思ったのです……」

「タダオ……」とジャン・フォールは鼻をつまらせた。「百合の花は、まさに光のシンボルなのじゃよ。初代国王クロヴィスが即位したときに国花として定められた。それにしても、よくぞ、君は、その踏み石の上に立った……」

「その後に起こった或る驚嘆すべき不思議な出来事を考えますと、あの一歩で、たしかに、他界へのゲートをくぐったのでしょうか……」

釣られて、つい、思い切ったことを云ってしまった。合理《レゾン》一辺倒のフランス市民気質からすれば、飛んでもない幻想家と取られかねない。が、ここの空気は、なぜか自然に口をほぐしてくれる。

一座は、水を打ったように静まりかえっていた。どの顔にも、続きを促す表情がありありと浮かびでている。

「実は」と私は勇気づけられて云った。「オルヴァルへ行ったことには、もう一つの別の秘めたる理由があったのです。それは、ルイ十六世のヴァレンヌへの逃走は、オルヴァル僧院を目ざしていたという事実なのです。王の逃走は、ノストラダムスの滞在から二百年あまり後に起こったことですが。この逃走事件を予言した、あまりにも有名な一対の四行詩は、まるで僧院から、脱走してくるベルリーヌを見透して書いたのではなかろうかと思われるほど、それほど見事な、驚くべき性質のものなのですから。《夜半に来るであろう、ヴァレンヌの中へ、うんぬん》といった書きかたをしていますね。なぜ、若きミシェル・ド・ノートルダムには、そのように見えたのか、そのことを知るには、王の永久に辿ることのできなかったヴァレンヌからオルヴァルまでの道程を、私自身で辿ってみる以外にない、そう思ったのです。そこで私は、オルヴァルからヴァレンヌへと向かいました。逆コースですが……」

「それで、ヴァレンヌで、どうじゃったな」

「恐るべきことが起こりました……」

ここまで来た以上、もはや何も隠すことはない。この人たちはおそらく、私の同族なのだ。天があたえてくれた告白の場と受けとって、みんな語ってしまおう。そこで、一つ、深く息を吸ってから、こう云った。

「ルイ十六世一家の捕縛の地点に、ささやかな記念碑が建てられています。その前に私が立ったときのことです……」

薄暗い照明のもと、瞳という瞳が刺すように輝いて私の顔を凝視している。ジャン・フォールも、もはやトークではなく、聞き役に回って、ずんぐりした体をこちらに向け、口元を視つめている。

そこで私は語った——

石碑の前の石段を登る間、虚空に鳴り響いた無数の「アァ、アァ、アァ、アァ……」という不可解な声々のことを。

このことを語り終わると、場内の空気は、雷に打たれたように、一瞬、凹んでみえた。しわぶき一つ洩れず、人々は化石したかのよう。ジャン・フォールも、何も云わない。こんなことを話してよかったのだろうかと、不安になって左側を見ると、彼は、老いの目にいっぱい涙をたたえていた。

ややあって、震える声で賢者は云った。

「日本よ、祝福されてあれ！」

私は尋ねた。

「あれは、いったい、何だったのでしょうか」

「ノストラダムスに世界の秘密を啓示した何か……非常に高い何かが、君にそれらの声を聞かせてくれた……としか云いようがない。あることを、明確に、この現象は表しておる……」

「あの声は何だったのでしょうか」

「フランス革命で殺された六十万人、百五十万人ともいわれる精霊の叫びであろうよ。いや、殺された人々は、実際には、無慮四百万人とも云われておる。革命の生き証人、ジョゼフ・ド・メーストルが挙げた数字を信ずればな。それだけのフランス人が、王殺しで極まる国家的大犯罪に対して、己の斬首をもって贖う運命をたどることとなったと書いておる。石碑は、『サンテュリー』で予言された《老舗の油商人ソース》の家の跡に立てられた。そこからの王のパリ帰還は、フランスのみならず、人類史のターニング・ポイントとなっていったのじゃ――世界中に、暴力と血の革命ウィルスを撒き散らすことによって……」

「そのソース殿の顔も、私はとっくりと拝んできましたよ。ヴァレンヌの革命記念館に、英雄として麗々しく肖像画が飾られていますからね。後ろ手に縛られたマリー・アントワネットの蠟人形を前に置いて……」

「それがフランス史というものじゃよ。しかし、浮かばれない殉難者たちの魂は、どうなるのか。そしてそれ以上に、本来のフランスは？　ローマ法王、ヨハネ＝パウロ二世が《フランスよ、汝は、その洗礼時の誓いに忠実なるか》と問われた、あのフランスは？」

ここでジャン・フォールは、ちらと腕時計を見て、告げた。

「そろそろ時間じゃが、またとない機会なので、諸君もこの珍客に質問したいことがおありじゃろう。少々延長して、次はそれに充てることといたそう」

東西の「天声人語」

質問をどうぞという誘いに応えて、前列二列目からまず手が上がった。ジャン・フォールと同じように濃い顎ひげを生やし、がっしりした体軀の、七十がらみの男性である。

「ポール・バルバネグラ、映画製作者です」

と名乗った。

「あゝ、存じております」

と私は応じた。この国でテレビを見て、その名を知らぬ者はいない。『建築と神聖地理』という十二本シリーズで一九七〇年代に大当たりを取った。

「ヴェルサイユ宮殿やパリ市などを風水学《ジエオマンシー》の見地からお撮りになりましたね。たしか、ジャン・フォール先生の解説でした」

隣で、ジャン・フォールその人が、満足そうに頷いている。

「そこで、ムッシュー……いや、タダオ、質問ですが」とバルバネグラは太い嗄れ声を出した。「あなたを、そこまでノストラダムスに引きつけた理由は、いったい、何ですか」

「さっき、フォール先生の云われたようなフランス王国の運命を見抜いた人であるからです。より正確に申しあげれば、サロンの賢者は、フランス革命によって王国が神聖との契りを断たれる危機を察知し、ここから人類が蒙るであろう一大悲劇を警告せんがために予言集『サンテュリー』を書くに至りました。《第一のバビロン》ことフランス革命、ついで、その《惨めな娘である第二のバビロン》ことロシア革命の展開を、ことごとく正確な年月を挙げて予告しています。これは、近代の進歩主義史観とは真っ向対立する見かたで、われわれを取り巻くリベラルな風潮とは相容れませんが、どっちが真実か、ソ連崩壊に至る歴史が証明したとおりです」

「僕はルーマニアからの亡命者ですから、身をもってそのことは体験しましたよ……」

バルバネグラ監督がそう応じたとき、こんどは右手で別の声が上がった。

「私のほうは、ロシアからの亡命者一家ですがね……」

三列目に声の主を見て、びっくりした。写真に見るレーニン像にそっくりだ。同じように頭が禿げ、同じように太いどじょう髯を生やしている。

「ウラジミール・ヴォルコフです」

と名乗って、にやりと笑った。

私は、二度、びっくりした。たいへん著名な作家だからだ。

日本でもその名を聞いたことがあったがと、記憶をまさぐっていると、ちょうどこう訊かれた。

「私の友人、ナガツカを知っているかね」

あゝそうだった。

「リュウジ・ナガツカですね。私の尊敬する先輩です。長塚隆二氏は、あなたのご本の翻訳者ですものね。これはこれは、著者に会えて光栄です！」

早川ノベルズから出ている二冊のミステリーノベルは、たしかに日大教授、長塚隆二氏の訳で、私は読みたいと思いながら果たしていなかった。しかし、思いがけないところで彼の名を聞いて嬉しかった。元特攻隊員で、フランス語でその体験を書き下ろした感動的一作、『私はカミカゼだった』で、むしろこの国で有名である。

長塚隆二氏とは、日本の国宝、「平重盛像」の前で出会った。ニースのマーグ財団美術館の主催した大展覧会にマルローが日本から取り寄せた、この「玲瓏たる傑作」の前に、彼は地中海から、私はパリから駆けつけた。なんと彼は、右腕のない身で、ニースの海の難所といわれる深場で泳いできたところだといって、残された左腕で握手されたのには圧倒された。その後、東京での付き合いの間に、ヴォルコフのことを聞かされた。

作曲家チャイコフスキーの曾孫にあたり、スラヴ系の反共主義者としては筋金入りとのことで、「俺も共産党との戦いだったら何でもやる」と云いながら元カミカゼパイロットは豪快に笑うのだった。

いま、改めてネット検索で調べてみると、ウラジミール・ヴォルコフは一九三二年生まれとあるから、私とは同年で、出会ったときは六十三、四歳だったはずである。アルジェリア戦争で情報将校として従軍したのを皮切りに情報戦に通じ、小説、劇作から劇画に至るまで多分野で活躍して、軍功章、アカデミー・フランセーズ小説大賞をはじめ、多くの賞を総なめにしている。

「最初にジャン・フォールさんに申しあげるが」と、ヴォルコフは云った。「あなたはさっき、六十九代続いたフランスの王家が世界最長と云われたが、本当の世界最長は日本ですぞ。今上天皇アキヒトは、実に第百二十五代目なんですからね」

「ご訂正、ありがとうございます」と私が云い、「これは申し訳ない」とジャン・フォールが頭を下げると、場内から笑いがこぼれ、雰囲気がほぐれた。

「これほどの権威ある皇室を戴く国の伝統を」とヴォルコフは力を篭めた。「アメリカは、民主主義を盾に、先帝ヒロヒトに神格否定宣言を強要して、ずたずたにしてしまったんですからな。君主制は世襲的、封建的、さらには全体主義的だというわけで……」

「マッカーサーのアメリカは」と私は応じた。「圧政から日本人民を解放するのだと称してわれわれに新憲法を押しつけたのですが、そのトップに、天皇の地位は、主権の存する日本国民の総意に基づくと規定しています。従って、もしも共産党が天下を取って、その主張するとおりに実行すれば世界最長の皇統も即座に断絶ということになります」

「あゝ、総意、総意、総意、そんなものがどこにある！」

ヴォルコフは右の拳をどんと突きあげ、その勢いで右の髯もぴんと撥ねあがった。

「総意の元はコンセンサス、コンセンサスの元はマジョリティ、マジョリティとは、所詮、五十一パーセントにすぎないんですぞ。フランスでも、ルイ十六世は五票差で死刑に処され、第三共和国は一票差で創設され、EU条約は五十一パーセントの票数で可決されたんですからな。それが民主主義だなんて、ちゃんちゃらおかしい！」

ジャン・フォールが合いの手を入れる。

「人民、人民というが、この言葉も怪しい……」

ウイウイという反応が周りから起こり、ヴォルコフは調子づいた。

「民主主義とは人民の府なりという。人民による、人民のための……と、いかにも尤もらしい。だが、私には、人民とは誰なのか、さっぱり分かりませんね。いや、分からないように、この言葉は、わざと曖昧にされているのです。マジックのような仕掛でね。英語のピープルという単語をみれば一目瞭然ですよ。この語は、複数形の動詞を従えながら、しかも単数として機能しているんですからね……」

私は、渡部昇一氏の名言を思いだしていた。

「アメリカ人のいうピープルとは、要するに、皆の衆というだけのことである」と。

人民などと勿体ぶっていうものだから、たしかにわれわれは誑《たぶら》かされているのかもしれない。

「民主主義とは」とヴォルコフは続けた。「人民様絶対善の宗教ですよ。ローマの諺に、《民の声、神の声》(Vox populi, vox Dei) というのがあるでしょう、あれですよ。あれはもともと、ある事柄の正しさを、衆俗の意見の完全一致の上に打ち立てるというだけの意味だったのが、いつのまにか、人民の声は神の声の意味となり、さらに、人民とは神なりに変わってしまった……」

「それを巧みに採り入れたのが日本のメディアです」と私は云った。「わが国には、あなたがたのル・モンド紙に当たる強力な一紙、朝日新聞というのがありますが、それは《天声人語》という有名コラムをトップに掲げています。いま、ヴォルコフさんが云われた《民の声、神の声》をひっくりかえしたものです。日本人の感覚からすると、絶対的なのは天の声のほうですから、天声人語と云われると信じたくなります。ところが、実際は、偏向左翼のオピニオンを読まされるという仕組なんです」

禿頭で頷きながらヴォルコフは続けた。

「民主主義を説く者は、真っ先に人権を挙げる。人権を説く者は、得々としてフランス革命を挙げる。さっき、ジャン・フォールはこう云いましたね。フランスは、一七八九年に啓蒙の理想で革命を起こし、四年後には恐怖政治で殺人マシーンと化した、と。百科全書学派から六十万人虐殺まで一《ひと》っ飛びだったんですよ。我が祖国ロシアの場合でいうと、一九一七年二月の自由主義革命家たちは、十月のボリシェヴィキ・クーデターを当然のこととして断行し、血の日曜日の殺戮へと突入していった！」

そのとおりという声が場内にこだました。

「諸君」とジャン・フォールが割りこんだ。「さっき私がお話ししたとおり、七月十四日は、革命記念日になるまえに、七百年間にもわたってエルサレム王国建国記念日だったという意味を、お忘れなく」

「フランスは、そのために」とヴォルコフが応ずる。「第二次大戦の戦勝国でありながら、フランス自身と和解できずに、世界の笑い物となっていた。私は、そのことを、アルジェリア戦争に従軍して痛感しましたよ……」

ヴォルコフの最後の言葉は、一瞬、私に、ド・ゴール特使マルローの来日した二十数年前を思いださせた。

自身と和解できていないフランスと彼は云ったが、この和解をもたらそうとするド・ゴールの戦いは、われわれには崇高にみえた。一方でアルジェリア戦争を終結させるべく死力を尽くしながら、それと平行して将軍は、マルローを日本に送って、「大和魂をフランスに秘託せられよ」とまで提唱していたのである。そのメッセージを伝える日仏会館新館での文化相マルローの記念講演を妨害しようと、見えない敵が、マイクのコードを切断する卑劣な手段に出てきた。当時、日仏会館の一介の書記にすぎなかった自分は、ひそかにそのときの全講演を録ったソニーの重い録音機でんすけを抱えて、小雪の舞いかける夜のお茶の水の外濠に添って走った。思えば、あれが我が青春、そして抵抗の始まりだった。

一瞬、眼裏《まなうら》に、あのときの二十歳代の自分の姿が甦るのを感じながら、そこでヴォルコフに向かってこう云った。

「ド・ゴール将軍は、しかし、フランスを再起させましたね」

「たしかに」とヴォルコフは応じた。「ナポレオンにしても、ド・ゴールにしても、フランスでは、投票箱から生まれた偉人はいませんよ。いや、民主的選出を経てはいるが、投票装置から権力を握ったわけではない」

「威信から、ですね」

そう応じながら私はマルローの言葉を想起して、続けた。

「あれは一九七四年五月のことでした。東京の東宮御所で、アンドレ・マルローによる、日本の皇太子と皇太子妃への御進講が行われたのは。両殿下が天皇皇后となる十五年前のことです。私は、そのときの通訳をつとめた立場ですが、忘れられない場面がありました。あれから二十年以上にもなりますし、時効と見て、また、ここにお集まりの皆さんの中には君主制反対者はなさそうなので、安心してお話しするのですが……」

笑いとともに、息をつめて聞く気配が感じられた。

「……さすが、マルローは、思い切ったことを申しあげたのです。国連と民主主義は、もはや機能していません、と。皇太子は、びっくりした様子でしたね。それでは国連に代わる機関が何か必要かとご下問になりました。平和を維持するには、もっとコンパクトな方法論的研究所といったもののほうが有効でありましょうとマルローは答えて、民主主義についてはこう述べたのです。与野党の票数の違いがわずか二、三パーセントでは、政治を行うことはできません、と。さっき、ヴォルコフさんが仰ったことに通じますね。しかし、ついでマルローが申しあげた言葉が素晴らしかった。民主主義政治に代わって、威信の政治なるものがあります、ド・ゴール将軍の行ったことは、ある意味でそれでした、殿下、と――こう云い切ったのです……」

ヴォルコフは大きく頷いた。

「私は、通訳しながらこう思いましたよ。マルローは、彼が永遠の日本と呼ぶものに対して呼びかけているのだ、と。日本人は、天皇に対して、断じて、民主主義の反対の独裁者に対するような感情を抱いたことはありません。私共日本人は、アメリカから民主主義を学ぶ必要はなかったでしょう。明治の日本は、すでに立憲君主国として、まさに威信の政治を行っていたからです……」

熱い拍手に、私は踏みこんだ。

「日本は、建国の肇《はじめ》から、日本流の民主主義を表明してきた国です。初代の神武天皇が、即位にあたり、《いやしくも民の利益に適うならば、どうして自ずと聖賢の道に違《たが》うはずがあろうか》とマニフェストを発して以来、連綿と、です」

場内の中程から中年女性の声で質問が飛んだ。

「その日本の建国とは、いつですか」

「キリスト紀元前六六〇年です。今年は西暦一九九六年ですから、皇紀では、ええと……二六五六年になります」

場内は驚きでどよめいた。

同じ女性の声が質問を畳みかけてくる。

「現代の日本は、その建国を今でも祝っていますか、いませんか」

「最初の史書に記された神武天皇即位の日、二月十一日を、建国記念の国祭日として祝っています」

「それにしても大したものですわ、日本は。フランスは、さっきもジャン・フォールさんが云ったように、今年が初代国王クロヴィスの即位から数えて千五百年に当たるというのに、これっぽっちも、それを国として顧みようとはしません。反面、わずか二百七年前の七月十四日を建国記念日としてシャンゼリゼーの大行進で祝っているのです……」

あのマダムはどなたですかと、私は、そっと、脇のジャン・フォールに尋ねた。たしか、ジャニーヌ・ガリッソンという歴史家だと思うよとの返事。

と、私の問いに答えるかのように、質問の主は、

「私は十六世史を専攻していますが」

と断って、さらにこう云った。

「フランスの歴史教科書の書き手は、筆をそろえて、ブルボン王家の絶対主義といったことを云い立てているけれど、本当は、絶対的たらんとした君主制の神聖な性質を忘

れてはならないと思うんです」

するとヴォルコフが後ろを振り返って、発言者にこう言葉を投げた。

「いかにも、フランスは、世界中で唯一、分裂を祝ってユニオンを祝わざる国歌と革命記念日を維持している国なんですからな」

この思い切った発言には、さすが、場内は一瞬、ひるんだ様子だった。警告を意味するちょっちょっという舌打ちも聞こえた。「ユニオン」とは、この場合、日本でいう「むすび」にあたるのだろうなと考えていると、ジャン・フォールが場を取りつくろうように私に質問した。

「タダオ、日本の国歌はどんなかね」

「キミガヨというのですが、君主の聖寿万歳の寿ぎです」

「素晴らしい！《アドミラーブル》」

と何人かの声が同時に挙がった。

「しかし、反民主主義的だというので、儀式の場でも歌おうとしない輩もあり、これはフランスよりひどいんじゃないかと思います。それと、歴史教科書のお話が出ましたが、日本の場合も、まさに本家フランスの革命思想の影響でしょうか、惨憺たる自虐史観で、国会でも大論議となりました」

「まったく、われわれの責任は大きいよ」

ジャン・フォールが吐息をつくと、同意する声があちこちから返ってきた。

「僕は、リセーの歴史教師ですが」

と、後方の座席から今度は男性の声が上がった。

「ヨーロッパには、王殺しの文化があり、フランスは典型的だと思うんです。これは、全十三巻の有名な『フランス史』の著者、ジョエル・コルネット教授が指摘していることですがね。十六世紀に、アンリ三世、アンリ四世と、続けて殺されています。断頭台上に上ったルイ十六世は、この王殺し文化の総仕上げなのです……」

発言者は誰か知らないなと、脇でジャン・フォールがコメントする。若い、澄んだ音声から察して、まだ三十前後だろう。

「……コルネット教授は、ヨーロッパの大半の国々で起こった宗教改革によって、人間の魂の分裂が生じたと指摘しています。さっき、ユニオンということが云われましたが、教授によれば、分裂とは、人間が古来、天地の間に保ってきたユニオンに、前古未曾有の断絶が生じたということにほかなりません」

ここで、日本の立場で発言すべきだと感じて、私は声を出した。

「ムッシュー、仰ることに私は感銘を受けました。皆さんが云われるユニオンとは、私共の大和言葉の呼び名に従えば、むすび、ということになろうかと思います。儒教や仏教の入る以前から日本には神道があり、その中心思想は、天地の間をつらぬく、むすび＝ユニオン、ということです。アンドレ・マルローは、一九七四年五月、日本の熊野古道、那智の滝のまえでそれを感得しました。私はマルローに随行してその光景を目撃し、のちにコレージュ・ド・フランスに招かれて出来事を語らせていただきました……」

しんと鎮まった人々に、こう述べて言葉をむすんだ。

「皆さんは、去る大戦において勝利国となりながら、かくのごとく本質的分裂を歎き、私共日本人は、国破れるも、天皇あるゆえに、このむすびを保っています。日仏両国は、お互いに補足的関係にあるのではないでしょうか――失われた神聖との契りを共に再発見するために」

満場の拍手につつまれて、私は思った。

歴史に押しひしがれたフランス王国の声を、ついに今日、俺はここに見いだした。

ヴァレンヌの王の石碑まえの、あの秘声に導かれて――。

（第六巻　秘声篇おわり）

竹本忠雄

『未知よりの薔薇』全巻リスト

第一巻　由来《ゆらい》篇
第二巻　出遊《しゅつゆう》篇
第三巻　流浪《るろう》篇
第四巻　筑波《つくば》篇
第五巻　交野路《かたのみち》
第六巻　秘声《ひせい》篇
第七巻　影向《ようごう》篇
第八巻　寂光《じゃっこう》篇

竹本忠雄（TAKEMOTO Tadao 1932～）

日仏両国語での文芸評論家。筑波大学名誉教授、コレージュ・ド・フランス元招聘教授。
東西文明間の深層の対話を基軸に、多年、アンドレ・マルローの研究者・側近として『ゴヤ論』『反回想録』などの翻訳、『マルローとの対話』などを出版、かたわら、日本文化防衛戦を提唱して欧米での反「反日」活動に従事（日英バイリンガル『再審「南京大虐殺」』等）、その途上で皇后陛下美智子さまの高雅なる御歌に開眼し、仏訳御撰歌集をパリで刊行、大いなる感動を喚起して、対立をこえた大和心の発露の使命を再確認する。
令和元年11月、仏文著書『宮本武蔵　超越のもののふ』（日本語版、勉誠出版）を機に、87歳でパリに招かれて記念講演を行い、新型コロナウィルス流行直前に帰国して、構想50余年、執筆8年で完成した『未知よりの薔薇』の米寿記念刊行に臨む。

未知《みち》よりの薔薇《ばら》　第六巻　秘声篇《ひせいへん》

著者　竹本忠雄
発行者　吉田祐輔
発行所　㈱勉誠社
〒101-0061　東京都千代田区神田三崎町二-一八-四
電話　〇三-五二一五-九〇二一㈹

二〇二一年七月二十四日　初版発行
二〇二三年十月三十日　初版三刷発行

印刷　製本　株式会社コーヤマ

ISBN978-4-585-39506-5　C0095

平成の大御代 両陛下永遠の二重唱

絶讃を博した講演録を柱に、皇后陛下美智子さまへの手紙、エッセイ、渡部昇一氏との対談の三篇を収録。独創的年表を付録として一本に収める。

竹本忠雄 著・本体一八〇〇円（＋税）

霊性と東西文明
日本とフランス
「ルーツとルーツ」対話

《ヨーロッパとアジアの対話はルーツとルーツの対話である》とのマルロー提言に基づき、日仏霊性文化の根源から、超広角的に謎の解明に迫る。

竹本忠雄 監修・本体七五〇〇円（＋税）

大和心の鏡像
日本と西洋
二つの空が溶け合うとき

アインシュタイン、小泉八雲、マルロー…。知の巨匠たちは、いかに魂の次元で日本文明に傾斜し、霊性時代の再来を予感したか。著者渾身の畢生作。

竹本忠雄 著・本体三六〇〇円（＋税）

宮本武蔵 超越のもののふ
武士道と騎士道の対話へ

武蔵の代表的名画を中心に豊富なカラー図版を散りばめ、世界的視野から「ルネサンス的巨匠」武蔵像を浮かび上がらせる。

竹本忠雄 著・本体三五〇〇円（＋税）

三島由紀夫の国体思想と魂魄

「歴史と伝統の国、日本である」と国民の覚醒と自尊自立を訴えた三島由紀夫。「伝統と革新の均衡」を思想基盤とした、国家論と国体思想を、客観的かつ精密に究明。

藤野博 著・本体四二〇〇円（＋税）

三島由紀夫と神格天皇

巨大な問題提起者・思想的刺激者である三島由紀夫の天皇観を緻密に分析し、「死の真相」を解き明かす。「倫理の不滅性」を訴えた素顔の三島由紀夫がいま蘇る。

藤野博 著・本体三五〇〇円（＋税）

三島由紀夫と日本国憲法

憲法に関する三島の発言を丹念に追い、その憲法改正論の内容を解説。日本国憲法の成り立ちと性格を客観的に究明し、第九条を広角的視点から再点検する。

藤野博 著・本体三〇〇〇円（＋税）

青空の下で読むニーチェ

西部邁は『アクティブ・ニヒリズム』を主唱した。三島由紀夫ほどニーチェを読みこなした作家はいない。人生を強く生きよと主張したニーチェの思想を読み直す。

宮崎正弘 著・本体九〇〇円（＋税）

完全版 人間の運命
全十八巻

明治〜昭和の激動の世紀に、日本人はいかに苦難と苦悩の道を歩み、希望をつないできたか。時代の証言として描かれた近代精神史を完全版として刊行。

芹沢光治良 著・本体各一八〇〇円（＋税）

新装版 巴里に死す

ノーベル賞候補作にも挙げられ、フランスをはじめヨーロッパ各国で高い評価を受けた代表作を、著者自身が最後に校閲した最良のテキストを用いて復刊。

芹沢光治良 著・本体一八〇〇円（＋税）

芹沢光治良戦中戦後日記

世界が終るともよい。作品を書いていよう——戦中戦後の日本知識人の暮らしと思いを知る、貴重な資料。勝呂奏（桜美林大学教授）による詳細な解説を付す。

芹沢光治良 著／勝呂奏 解説・本体三二〇〇円（＋税）

芹沢光治良 人と文学

作家の人間像を提示し、また「教祖様」、「人間の運命」、連作神シリーズを中心に芹沢文学の魅力を解説。その価値観、世界観、宗教観を浮かび上がらせる。

野乃宮紀子 著・本体一八〇〇円（＋税）